Heyne CRIME

KRIMINALSTORIES

ELLERY QUEEN'S KRIMINAL MAGAZIN

48

Deutsche Erstveröffentlichung

WILHELM HEYNE VERLAG
MÜNCHEN

HEYNE-BUCH Nr. 1618
im Wilhelm Heyne Verlag, München

Titel der amerikanischen Originalausgabe
ELLERY QUEEN'S CRIME MAGAZINE
Auswahl und Übersetzung:
Wulf Bergner
Herausgegeben von Egon Flörchinger

Ellery Queen's Kriminal Magazin
erscheint im Wilhelm Heyne Verlag, München

Printed in Germany 1974
Umschlagfoto: Dell, New York
Umschlaggestaltung: Atelier Heinrichs, München
Gesamtherstellung: Zettler, Schwabmünchen

ISBN 3-453-10210-X

INHALTSVERZEICHNIS

Die falsche Schlange

von
Edward D. Hoch

Die beiden Männer, die sich an dem spiegelnden Teich gegenüber dem Lincolndenkmal getroffen hatten, waren so verschieden, wie es ein schlanker und ein untersetzter Mann überhaupt sein können, und da sie einander noch nicht kannten, begannen sie keine Unterhaltung. Erst als ein dritter Mann erschien – ein großer sportlicher Typ mit einer Kameratasche über der Schulter –, fanden sie sich zu einer Gruppe zusammen.

Der Neuankömmling lächelte, begrüßte sie nacheinander und machte sie miteinander bekannt. Dann verteilte er weiße Ansteckplaketten mit dem Zeichen des America Institute of Architects. »Falls uns jemand zusammen sieht«, erklärte er dabei, »sind wir nur drei Kongreßteilnehmer, die sich für die Architektur Washingtons interessieren.«

»Sie denken eben an alles«, sagte der Schlanke. Er hieß Rudy Ventrose und war früher Pilot bei einer kleinen Fluggesellschaft gewesen, die für die CIA Frachtgut nach Ostasien befördert hat.

»Ich versuche, an alles zu denken«, bestätigte der Sportliche. Er wandte sich an den Untersetzten, der das Unternehmen finanzieren sollte. Ohne ihn fiel die ganze Sache ins Wasser. »Na, wie steht's, Higgins? Haben Sie meine Ausarbeitung gelesen?«

Sam Higgins war kein Mann voreiliger Entschlüsse, auch wenn es nur um eine einfache Antwort ging. Er grunzte, nahm seinen Strohhut ab und fuhr sich mit dem Taschentuch über die kahle Stelle am Hinterkopf, bevor er antwortete. »Die Sache kommt mir ein bißchen zu kompliziert vor, Mr. Jenner.

Wir würden vor allem einen verdammt guten Hubschrauberpiloten brauchen — und der ist nicht leicht aufzutreiben.«

Der Mann namens Jenner lächelte und wandte sich an Ventrose. »Wie sieht's aus, Rudy? Ist das zu schaffen?«

»Wieviel wiegt die Statue?«

»Ich schätze sie auf ungefähr fünf Tonnen.«

Sam Higgins stieß einen Pfiff aus. »Durch und durch Gold?«

»Selbst wenn sie nur mit Gold überzogen ist, ist sie ein Vermögen wert.«

Rudy Ventrose überlegte. »Für einen großen Hubschrauber wäre das eine Kleinigkeit. Am besten wäre ein HUEY. Aber woher bekommen wir einen?«

»Überlassen Sie das mir«, sagte der Mann namens Jenner. »In Hongkong und anderen fernöstlichen Städten wird viel überschüssiges Kriegsmaterial verkauft. HUEY-Hubschrauber sind bei Ölgesellschaften sehr beliebt, weil sie ganze Bohrtürme befördern können. Ich rechne damit, daß wir einen auftreiben.«

»Sie haben sich alles genau überlegt, was?« warf Sam Higgins ein. »Sie haben alles parat — nur das Geld nicht, das Sie dafür brauchen.«

Jenner lächelte. »Dafür sind dann Sie zuständig.«

»Wieviel Kapital brauchen Sie?«

»Um erklären zu können, warum wir mit dem Hubschrauber in dem betreffenden Gebiet sind, wollen wir vorgeben, Schlangen für amerikanische Tierparks zu fangen. Damit alles echt wirkt, brauchen wir ein paar Käfige und die entsprechende Ausrüstung. Ich glaube, daß wir mit hunderttausend Dollar auskommen — für den gebrauchten Hubschrauber und alles andere.«

Sam Higgins stieß einen halblauten Pfiff aus. »Das ist ein Haufen Geld!«

»Nicht für einen Mann wie Sie. Und nicht für das, was wir uns holen wollen.«

Higgins sah zum Lincolndenkmal auf, als wolle er sich davon überzeugen, daß der Präsident sie nicht beobachtete. »Okay, fangen wir noch mal von vorn an, Jenner, damit wir uns richtig verstehen. Einige Punkte Ihrer Ausarbeitung waren nicht ganz klar. Sind wir zum Beispiel nur zu dritt?«

Jenner schüttelte den Kopf. »Nein, als vierte kommt eine junge Frau dazu, die Tarsa heißt und mit mir reist.«

»Was hat sie damit zu tun?«

»Sie hat später eine besonders wichtige Aufgabe zu übernehmen.«

»Gut, ich verlasse mich auf Sie, daß wir sie brauchen. Aber ihr Anteil wird von Ihrem abgezogen.«

Jenner breitete die Hände aus. »Einverstanden.«

»Okay, dann möchte ich alles noch einmal hören, den gesamten Ablauf den Unternehmens.«

»Wir trennen uns nach dieser Besprechung und kommen heute in einer Woche in Hongkong zusammen. Wir kaufen einen gebrauchten Hubschrauber — das ist Ihre Sache, Rudy, weil Sie ihn fliegen werden. Gleichzeitig decken wir uns mit den nötigen Ausrüstungsgegenständen ein. Und dann fliegen wir zu viert in dem Hubschrauber nach Thailand. Nachdem wir einige Tage damit verbracht haben, unser Lager einzurichten und ein paar Schlangen zu fangen, konzentrieren wir uns auf diesen goldenen Buddha. Ich leiste die Vorarbeit am Boden, während Sie beide mit Tarsa im Hubschrauber sind. Sobald ich das Stahlseil festgemacht habe, fliegen Sie einfach mit der Statue weg. Im Lager schmelzen wir sie ein und gießen Gold in Barren. Wir schmuggeln es in den Doppelböden der Schlangenkäfige nach Indien ein und verkaufen das Gold dort auf dem schwarzen Markt.«

»Fünf Tonnen Gold in Doppelböden? Die Zollbeamten müßten ja blind sein, um soviel zu übersehen!«

»In manchen Ländern sind sie das gelegentlich. Wir landen mit dem Gold auf einem abgelegenen Flughafen, wo die Zollbeamten sehr zuvorkommend sind. Dafür garantiere ich. Na, was sagen Sie dazu?«

Higgins hatte noch einige Einwände, stimmte aber schließlich zu. »Wir treffen uns heute in einer Woche in Hongkong — in dem Hotel, das Sie vorgeschlagen haben. Ich bringe das Geld mit.«

Sie verabschiedeten sich mit einem Händedruck, und der Mann namens Jenner ging rasch um den spiegelnden Teich herum zu einem wartenden Wagen.

»Was halten Sie von der Sache?« fragte Rudy Ventrose.

»Sehr interessant«, meinte Sam Higgins und kratzte sich seine Stirnglatze.

»Ich hätte nie gedacht, daß ich eines Tages einen goldenen Buddha stehlen würde!« rief Ventrose aus.

»Vielleicht kommen Sie gar nicht dazu.«

»Was soll das heißen?«

»Ich habe mein Geld nicht damit verdient, daß ich mich von jedem billigen Hochstapler reinlegen lasse, Rudy. Dieser Mann mit dem wunderbaren Plan, dieser sogenannte Mr. Jenner ist in Wirklichkeit ein ganz gerissener Bursche namens Ulysses S. Byrd. Er ist ein Ganove, der sich darauf spezialisiert hat, Leute wie mich auszunehmen.«

»*Das* war Byrd?« fragte Ventrose mit offenem Mund. »Klar, von dem hab' ich schon gehört. Aber dieser Jenner hat so ... so ehrlich gewirkt!«

»O, er ist wirklich gerissen – ein Star auf seinem Fachgebiet.«

»Dann fliegen wir also nicht nach Hongkong?«

Sam Higgins grinste. »Im Gegenteil, Rudy. Wir fliegen tatsächlich hin – nur um zu sehen, was unser Freund Byrd vorhat. Vielleicht nehme ich sogar ein bißchen Geld als Köder für ihn mit.«

Die engen und stets überfüllten Straßen Hongkongs verliehen der Stadt eine bedrückende Atmosphäre, die durch die dunklen Gewitterwolken am Horizont nicht gerade aufgelockert wurde. Sogar die Hafengegend mit ihren Neonreklamen, den Bars und den kaum getarnten Bordellen wirkte keineswegs heiterer.

»Ich bin dafür, daß wir ins Hotel zurückfahren«, schlug Tarsa vor. »Es wird langsam dunkel, und die anderen kommen bestimmt bald an.«

Ulysses S. Byrd, der nicht ganz so jung und nicht ganz so attraktiv war, wie Frauen manchmal dachten, schloß seinen

Handel mit dem Straßenverkäufer ab und drehte sich lächelnd nach Tarsa um. »Einverstanden. Es wird ohnehin bald regnen, glaube ich.« Er hielt das Gekaufte hoch, damit sie es sehen konnte. »Was hältst du davon, Tarsa? Ist sie ihr Geld wert?«

Sie strich mit der Hand über die kostbare Seide. »Daraus kann sich irgendeine Frau ein schönes Kleid machen lassen.«

Er hielt ein vorbeifahrendes Taxi an und nannte dem Fahrer die Adresse ihres Hotels. »Ich habe eigentlich an dich gedacht.«

»O, Byrd! Kannst du dir vorstellen, wie ich in einem Seidenkleid im Dschungel eine riesige Python jage? Ich dachte, du hättest mich mitgenommen, um Schlangen zu fangen.«

»Richtig«, bestätigte er lächelnd. »Aber hör auf, mich Byrd zu nennen. Ich heiße in Zukunft Jenner.«

»Ich wollte, du würdest mich in dein Spielchen einweihen.«

»Du brauchst nur mitzumachen und hübsch auszusehen. Das ist nicht allzu schwierig, glaube ich.«

Sie waren seit fast einer Stunde wieder im Hotel, als das Telefon in Byrds Zimmer klingelte. Sam Higgins rief vom Flughafen aus an. »Rudy und ich sind eben gelandet. Bei dem aufkommenden Sturm war der Flug ziemlich unangenehm.«

»Der Sturm dauert bestimmt nicht lange. Jetzt ist die falsche Jahreszeit dafür.«

»Sehen wir uns heute abend, Jenner?«

»Nein, das ist nicht nötig. Ich schlage vor, daß wir uns morgen früh um neun in der Hotelhalle treffen. Dann fahren wir gemeinsam los und besichtigen die Hubschrauber.«

Byrd legte den Hörer auf und blieb zufrieden lächelnd auf der Bettkante sitzen. Tarsa kam aus dem Bad. »Was soll das Lächeln?« fragte sie.

»Weil sie gekommen sind. Er hat den Köder geschluckt, mein Schatz – und ich gebe zu, daß ein fünf Tonnen schwerer goldener Buddha ein ziemlicher Brocken war.«

Am nächsten Morgen fuhren sie mit einem Taxi zu den Lagerhäusern am Hafen, wo überschüssiges Kriegsmaterial aus dem Vietnamkrieg verkauft wurde. Auf dem großen Freigelände neben einem Lagerhaus standen Straßenbaumaschinen, Lastwagen und einige reparaturbedürftige Hubschrauber.

»Ich dachte, sie wären besser in Ordnung als die hier«, meinte Higgins mit einem Blick auf die Hubschrauber. »Was halten Sie davon, Rudy?«

Ventrose fuhr mit der Hand über die Löcher, die ein Feuerstoß aus einem MG in der Flanke des Hubschraubers zurückgelassen hatte. »Ich bin schon mit viel schlimmeren Mühlen geflogen. Wenn er nicht zu teuer ist, bin ich dafür, daß wir ihn kaufen.«

So kamen sie am ersten Tag zu ihrem gebrauchten Hubschrauber. Sam Higgins bezahlte ihn mit einem auf eine Bank in Hongkong ausgestellten Scheck.

»Wie lange dauert es, bis er wieder flugfähig ist?« fragte Byrd Rudy.

Der Pilot sah zu den Rotoren auf. »Zwei Tage. Bis zum Wochenende ist alles fertig.«

Später saßen sie bei kühlen Drinks in der Hotelbar zusammen und unterhielten sich zu viert. Sam Higgins fand Tarsa auf den ersten Blick sympathisch und interessierte sich für persönliche Einzelheiten.

»Ich war eine Zeitlang im Hamburger Tiergarten«, erzählte sie ihm. »Und später im Zoo Los Angeles. Reptilien sind meine Spezialität. Ich hatte eben erst eine neue Stellung an der Ostküste angetreten, als ich Jenner kennengelernt habe. Er hat mir von seinem Plan erzählt und mich eingeladen, ihn zu begleiten. Sie drei können meinetwegen zehn goldene Buddhas aus dem Dschungel holen – ich hab's auf Pythons abgesehen.«

»Diese Sache mit dem Buddha kommt mir noch immer unwahrscheinlich vor«, meinte Rudy Ventrose. »Ich habe früher wirklich verrückte Aufträge für die CIA übernommen, aber so etwas war nie dabei. Ist die Statue denn nicht festgemauert oder angeschraubt oder sonstwas?«

Byrd schüttelte den Kopf. »Der Mörtel, mit dem sie festgemauert war, ist im Lauf der Jahrhunderte zerbröckelt. Es gibt sogar Leute, die einem erzählen, das sei bei der goldenen

Kuppel des Taj Mahals ebenso. Mit einem Hubschrauber könnte man sie wahrscheinlich glatt abheben.«

»Ja, natürlich!«

»Doch, doch!« Byrd trank einen Schluck. »Ich würd's sogar versuchen, aber das Dumme dabei ist, daß die indische Luftwaffe wahrscheinlich sofort hinter uns her wäre.«

»Richtig«, stimmte Higgins trocken zu. »Lassen wir lieber die Finger vom Taj Mahal.«

Nachdem Byrd und Tarsa sich verabschiedet und die Bar verlassen hatten, saßen Rudy Ventrose und Sam Higgins bei einem weiteren Drink zusammen. »Er scheint soweit in Ordnung zu sein«, meinte der Pilot. »Wissen Sie bestimmt, daß er ein Gauner und Betrüger ist?«

»Ganz bestimmt. Aber er kann sich darauf verlassen, daß er nicht leicht Geld aus mir rausbekommt.«

»Was ist mit dem Hubschrauber? Den haben Sie doch bezahlt.«

Higgins grinste. »Mein Scheck ist auf eine hiesige Bank ausgestellt, bei der ich ein Konto mit Geld eröffnet habe, das aus Amerika überwiesen wird. In ungefähr drei Tagen werden sie merken, daß die Überweisung ausbleibt, aber bis dahin bin ich längst nicht mehr hier.«

»Und wie steht's mit Byrd?«

»Was er vorhat, hängt irgendwie mit diesem goldenen Buddha zusammen. Wenn wir uns nicht übertölpeln lassen, kann nichts schiefgehen. Von mir bekommt er jedenfalls kein Geld.« Higgins klopfte auf seinen Revolver, den er im Schulterhalfter trug. »Wenn er Dummheiten macht, bekommt er höchstens eine Kugel ab.«

Während Byrd und Tarsa am nächsten Morgen unterwegs waren, um eine Schlangenfängerausrüstung zu kaufen, fuhren Sam Higgins und Rudy zum Lagerplatz, um den Hubschrauber zu überprüfen. Von dort aus hatten sie einen weiten Blick auf den Hafen, und Higgins konnte die Dschunken und Kähne sehen, auf denen so viele Chinesen ihr ganzes Leben verbrachten.

»Eine verrückte Stadt«, meinte Higgins. »Reich und arm, Ost und West, weiß und gelb.«

»Richtig«, stimmte Rudy Ventrose zu und beschäftigte sich wieder mit dem Instrumentenpult des Hubschraubers. Er dachte nicht oft über solche Dinge nach. Er hatte schon zu viele Menschen beider Rassen auf dem Gewissen, als daß er sich gern daran erinnert hätte.

Als er wenig später die Verdrahtung einiger Instrumente kontrollierte, ertasteten seine Finger etwas Hartes, das in Papier gewickelt war. »He, was ist das?«

Higgins kam hereingeklettert, um es sich anzusehen. »Los, packen Sie's doch aus!« drängte er. Seine Augen wurden größer, als er den grünen Edelstein sah. »Verdammt noch mal, das sieht wie ein Smaragd aus!«

»Vielleicht ist es einer. Auf dem Einwickelpapier steht eine Adresse. Vang Pao, Straße der kleinen Nächte 15, Hongkong.«

»Was halten Sie davon?« fragte Higgins.

Rudy zuckte mit den Schultern. »Wer weiß? Der Stein kann hier versteckt worden sein, nachdem der Hubschrauber nach Hongkong gekommen ist, oder er kann noch aus Vietnam stammen. Alle Fachleute wissen, daß die Südvietnamesen in amerikanischen Maschinen Rauschgift geschmuggelt haben. Und Hongkong ist natürlich eine Drehscheibe des Rauschgifthandels. Der Smaragd kann als Zahlungsmittel gedient haben.«

Sam Higgins überlegte rasch. »Lassen Sie den Hubschrauber vorläufig stehen, Rudy. Kommen Sie, wir besuchen Vang Pao in der Straße der kleinen Nächte und erkundigen uns, was es mit dem Stein auf sich hat.«

Ulysses S. Byrd starrte die Schlange an und bewunderte ihren braungesprenkelten schönen Körper. »Die genügt völlig«, erklärte er Tarsa. »Was ist sie?«

»Eine indische Python. Sie können bis zu sechs Meter lang werden, aber die hier ist noch jung. Ungefähr drei Meter.«

»Das genügt mir«, antwortete Byrd. »Was kostet sie?«

»Der Meter zweihundertfünfzig Dollar.«

»Einverstanden.« Er zählte das Geld ab. »Und der Käfig?«

»Alles inklusive.«

Er lächelte. »Ich hab' gleich gewußt, daß du deine Sache verstehst, Schatz.«

»Aber was soll ich damit anfangen? Du hast mich doch nicht um die halbe Welt geschleppt, nur damit ich dir eine Python kaufe?«

»Alles zu seiner Zeit«, wehrte er ab.

Nachdem sie veranlaßt hatten, daß die Python in einen Käfig kam und versandfertig gemacht wurde, fuhren Byrd und Tarsa ins Hotel zurück. Die beiden anderen waren noch nicht da, deshalb beschlossen sie, sich am Swimming-pool zu sonnen.

»Byrd«, sagte sie, als sie nebeneinander in der Sonne lagen, »woher hast du den Spitznamen Early Byrd?«

»O, den habe ich schon lange. Ich bin nicht unbedingt der sprichwörtliche Vogel, der den Wurm erwischt, aber ich habe schon einige Erfolge dadurch erzielt, daß ich als erster an Ort und Stelle war — oder als erster fort, wenn's nötig war.«

»Du bist ein Betrüger, stimmt's, Byrd?« fragte sie direkt.

»Manche Leute halten mich für einen. Andere halten mich für eine Art Helden. Solche Dinge sind eben relativ.«

»Willst du diesen goldenen Buddha wirklich stehlen?«

»Du hast mich eben als Betrüger bezeichnet. Was vermutest du also?«

Sie lächelte ihm zu. »Wahrscheinlich bist du Gauner genug, um ihn *nicht* zu stehlen. Das vermute ich!«

Die Straße der kleinen Nächte war eine dunkle schmale Gasse in dem Teil der Altstadt über der Rennbahn Happy Valley. In diesem Viertel wohnten hauptsächlich Chinesen, und Sam Higgins sah keinen Weißen, als er Ventrose über das schmutzige Kopfsteinpflaster folgte.

»Wissen Sie bestimmt, daß wir hier richtig sind?« fragte Higgins, als sie vor einem düsteren Hauseingang standen.

»Nummer fünfzehn, wie auf dem Zettel steht. Allerdings kann Vang Pao längst nicht mehr hier wohnen.«

»Das läßt sich feststellen.«

Rudy Ventrose, der etwas Chinesisch sprach, bekam heraus, daß Vang Pao tatsächlich noch immer im ersten Stock dieses Hauses wohnte. Als Vang Pao die Tür öffnete, erwies er sich als kleiner Chinese mit runzligem Gesicht, Ziegenbart und erschrocken aufgerissenen Augen.

»Was Sie wollen?«

»Sprechen Sie Englisch?« fragte Ventrose.

»Ja. Was Sie wollen?«

Sam Higgins trat vor und streckte die Hand aus, so daß Vang Pao den Smaragd sehen konnte. »Gehört der Ihnen?«

»Nein, nein! Wo haben her?« Der Alte starrte ihn erschrocken an.

Higgins drängte sich an ihm vorbei in den Raum. »Hören Sie, Vang Pao, wir wissen genau, daß Sie mit Rauschgift handeln. Leugnen ist völlig zwecklos.«

Der Chinese schüttelte energisch den Kopf. »Nein, nein! Ich weiß nichts.«

»Wie viele Smaragde haben Sie noch?«

»Keinen.«

Higgins seufzte. »Gut, Rudy, dann müssen wir ihn eben mitnehmen.«

»Sie keine Polizei«, stellte der Bärtige fest. »Sie schlimme Männer.«

»Hör zu, Vang Pao, wir sind hier, um ein Geschäft zu machen. Wenn Sie mitmachen, können wir alle Geld verdienen. Aber wenn Sie sich weigern, hetzen wir Ihnen die Polizei auf den Hals! Haben Sie das verstanden?«

»Ja.«

»Gut, haben Sie also Rauschgift?«

»Nein, nein! Ich bin nur Mittelsmann.«

»Aber Sie haben Smaragde.«

»Ich kann sie beschaffen«, gab er zu.

»Wir wollen Smaragde, Vang Pao. Viele Smaragde wie den hier. Können Sie welche besorgen?«

Der Chinese zuckte mit den Schultern. »Kosten viel Geld.«

»Nicht für uns, Vang Pao. Wir sind doch alte Freunde,

stimmt's? Ich möchte wetten, daß Sie uns die Steine zum Selbstkostenpreis beschaffen könnten . . .«

»Sie müssen zurückkommen. Ich muß erst sehen.«

»Nein, nein, einer von uns bleibt bei Ihnen, damit Sie nicht ausfliegen. Wie lange brauchen Sie?«

»Bis morgen.«

»Rudy, Sie bleiben bei ihm«, wies Higgins ihn an.

Der Pilot hob abwehrend die Hände. »Kommt nicht in Frage! Ich habe keine Lust, hier die Nacht zu verbringen. Dem Kerl würde ich zutrauen, daß er mich nachts mit dem Messer abmurkst!«

Higgins überlegte kurz und nickte dann. Aber es war besser, den Chinesen unter Druck zu halten, solange er sich Sorgen machte. »Okay, Vang Pao, dann müssen wir uns eben heute nachmittag einig werden.« Er holte sein Scheckbuch heraus. »Zeigen Sie mir Ihre Smaragde, dann können wir handelseinig werden.«

Vang Pao trat an das niedrige Bett in einer Ecke des Raums, holte darunter einen Koffer hervor und öffnete ihn. Aus dem rechten Seitenfutter holte er einen kleinen Lederbeutel hervor. »Ich habe nur diese drei hier. Die anderen kommen morgen.«

Higgins hielt die Steine ans Licht und pfiff anerkennend. »Das sind tadellose Steine.«

»Lupenrein, ja.«

»Wieviel?«

»Das sind hochwertige Smaragde aus dem Ural.«

»Wieviel?« wiederholte Higgins.

»Tausend englische Pfund pro Stück.«

»Ich gebe Ihnen tausend amerikanische Dollar.«

»Nein, nein! Nicht genug.«

»Wie viele können Sie bis morgen beschaffen?«

»Viele Smaragde. Auch Rubine und Diamanten.«

»Okay, hören Sie zu. Ich kaufe diese hier für tausend Pfund pro Stück, komme morgen zurück und rede mit Ihnen über die anderen.« Er wollte einen Scheck ausschreiben.

»Keinen Scheck!« protestierte der Chinese. »Bargeld.«

»Verdammt noch mal, soviel Bargeld schleppe ich nicht mit mir herum!«

»Ich verkaufe Steine nur gegen bar.« Der Chinese riß den Leinenbeutel mit dem kostbaren Inhalt wieder an sich.

Sam Higgins holte aus, als wolle er handgreiflich werden, ließ dann aber den Arm sinken. »Wir kommen morgen früh wieder«, erklärte er dem Alten. »Sie schaffen inzwischen Steine her, verstanden?«

»Tausend Pfund pro Stück.«

»Ja, ich weiß. Ich bringe das Geld mit.«

Sie verließen Vang Paos Wohnung und stiegen die Treppe hinunter. Ventrose schüttelte den Kopf. »Kaum zu glauben, wie der Kerl dort oben haust, obwohl doch bestimmt ein Haufen Geld durch seine Hände geht.«

»In Asien gelten andere Wertmaßstäbe, Rudy. In Bangkok kostet ein Päckchen Heroin angeblich nur zwölf Cent. Und Sie wissen ja, wie billig wir den Hubschrauber bekommen haben.«

»Was tun wir jetzt?«

»Wieviel Geld haben Sie mit?«

»Ich? Knapp tausend Dollar — das meiste in Reiseschecks.«

»Ich habe ungefähr zweitausend.« Higgins seufzte. »Ich muß wieder zur Bank und mit New York telefonieren. Am besten lasse ich mir das Geld telegrafisch schicken.«

»Wollen Sie ihm die Smaragde wirklich abkaufen?«

Higgins nickte. »Aber nicht mit Pfunden, sondern mit Dollars. Er hat solche Angst, daß er nimmt, was wir ihm geben. Und wir verdienen dabei ein Vermögen. Diese Smaragde, die wir heute gesehen haben, sind fünfmal soviel wert, wie er verlangt.«

Er grinste, als er daran dachte.

»Was ist so lustig?« erkundigte Rudy sich.

»Während Ulysses S. Byrd uns mit seinem goldenen Buddha beschummeln will, verdienen wir einen Haufen Geld — praktisch vor seiner Nase!«

Abends besichtigten sie die Python, die Byrd und Tarsa gekauft hatten. Sam Higgins gab vor, das Tier kritisch zu betrachten, obwohl er in Gedanken woanders war.

»Was hat sie mit unserem Plan zu tun?« fragte er Byrd.

»Das sehen Sie noch.«

»Was hat sie gekostet?«

»Siebenhundertfünfzig Dollar. Schlangen werden nach Metern verkauft, und diese hier ist drei Meter lang.«

»Okay«, sagte Higgins großzügig. »Ich schreibe Ihnen einen Scheck aus. Vorläufig komme ich noch für die Unkosten auf.«

»Einverstanden. Tarsa hat bereits einen Käfig und läßt weitere anfertigen. Wie kommt ihr mit dem Hubschrauber voran?«

Rudy trat von einem Fuß auf den anderen. »Er ist übermorgen fertig, glaube ich.«

»Prima! Die Regenzeit beginnt erst in vier Wochen, aber ich möchte nichts riskieren.«

»Wir natürlich auch nicht«, stimmte Higgins zu. »Ich habe wirklich schon das Gefühl, das Gold sei greifbar nahe.«

Byrd nickte. »Die eine Schlange müßte genügen. Und da wir bereits eine haben, braucht Tarsa nicht im Dschungel nach einer zu jagen und dabei ihre kostbare Haut zu riskieren.«

Sie gingen gemeinsam in die Hotelbar und beendeten den Tag, indem sie auf den Erfolg ihres Unternehmens anstießen.

Am nächsten Morgen kehrten Sam Higgins und Rudy Ventrose in die Straße der kleinen Nächte zurück. Higgins hatte veranlaßt, daß das Geld aus New York auf eine hiesige Bank überwiesen wurde.

Jetzt wandte er sich an Rudy und forderte ihn auf: »Holen Sie ihn runter. Sagen Sie ihm, daß ich mich hier mit ihm treffen will. Es hat keinen Zweck, wenn wir nach oben gehen und uns die Hälse abschneiden lassen.«

»Aber ich darf raufgehen, was?«

»Er tut Ihnen bestimmt nichts, solange ich hier unten mit dem Geld warte. Los, gehen Sie schon!«

Einige Minuten später kam Rudy mit dem bärtigen Chinesen zurück. »Ich nicht handeln auf der Straße«, erklärte er Higgins. »Sie kommen mit nach oben.«

»Wie sieht's dort aus, Rudy?«

»Alles klar. Und er hat die Steine. Ich hab' sie gesehen.«

»Wo ist Geld?« wollte Vang Pao wissen.

Higgins zeigte ihm einen Packen Hundertdollarscheine. »Der Rest ist auf der Bank.«

»Dann gehen wir dorthin«, entschied der Alte. »Ich bringe Steine, und wir gehen zur Bank.«

Higgins sah ein, daß Vang Pao sich nicht umstimmen lassen würde. Und die Bank war jedenfalls ein sicherer Ort. »Gut, gehen wir also hin.«

Die Bank war die Hongkonger Filiale einer führenden englischen Bank, und in der Schalterhalle drängten sich Europäer, Amerikaner und Asiaten. Sie wurden in eines der kleinen Besprechungszimmer geführt, die Kunden zur Verfügung standen, und der Chinese öffnete den kleinen Koffer, den er mitgebracht hatte. »Hier sind Edelsteine. Sie wissen Preis.«

Higgins griff wahllos nach einem Smaragd und hielt ihn ans Licht. Der Stein schien lupenrein zu sein. »Was halten Sie davon, Rudy?«

»Sieht echt aus.«

»Wieviel, Vang Pao?«

»Tausend englische Pfund.«

Sam Higgins war kein Experte auf diesem Gebiet, aber er schätzte, daß die Edelsteine, die jetzt vor ihm lagen, fast eine halbe Million Dollar wert sein müßten. Der Rauschgifthandel in Südostasien warf eben hohe Gewinne ab.

»Augenblick!« sagte Rudy Ventrose plötzlich. »Woher wissen wir, daß die Steine wirklich echt sind? Woher wissen wir, daß dieser Kerl nicht mit Byrd zusammenarbeitet, um uns reinzulegen?«

Sam Higgins betrachtete nacheinander die Steine, Vang Pao und Rudy. »Wie wäre das möglich? Byrd ist doch damit beschäftigt, die Sache mit dem goldenen Buddha zu planen.«

Rudy zuckte mit den Schultern. »Tun Sie meinetwegen, was Sie für richtig halten — schließlich ist es Ihr Geld. Aber an

Ihrer Stelle würde ich ein paar Steine heraussuchen und sie schätzen lassen.«

»Keine Zeit dafür«, protestierte Vang Pao. »Sie keine Steine wollen, ich für Opium verkaufe.«

»Langsam!« forderte Higgins ihn auf. »Rudy hat recht. Ich denke nicht daran, gutes Geld für wertlosen Schund auszugeben! Ich nehme ein paar Steine mit und lasse sie prüfen.«

»Ich nicht warte«, entschied der Chinese. »Ich gehe.« Er wollte den Koffer schließen.

»Nein, bleiben Sie«, schlug Rudy Ventrose vor. Er wandte sich an Higgins. »Sie verhandeln inzwischen mit ihm, und ich lasse die Steine prüfen. Suchen Sie drei oder vier aus, die ich mitnehmen soll. Der nächste Juwelier hat sein Geschäft gegenüber der Bank.«

»Eine gute Idee«, stimmte Higgins zu. »Hier.« Er gab Ventrose den Smaragd, den er in der Hand hielt, und zwei Diamanten. »Und beeilen Sie sich!«

Weil Sam Higgins keinem Menschen traute, blieb er an der Tür des Besprechungszimmers stehen und beobachtete Rudy durch eines der großen Schaufenster der Bank. Als er den schlanken Mann das Juweliergeschäft betreten sah, ging er an den Tisch zurück und nahm Platz. »So, jetzt reden wir über Geld, Vang Pao.«

»Für hunderttausend englische Pfund bekommen Sie ganzen Koffer voll.«

»Unsinn! Ich hab' Ihnen doch gesagt, daß ich nur mit Dollars rechne!«

»Zweihundertfünfzigtausend amerikanische Dollar.«

»Kommt nicht in Frage.«

»Steine doppelt soviel wert.«

»Nichts zu machen. Mein höchstes Angebot ist fünfundsiebzigtausend Dollar.«

Der Chinese saß schweigend da. Kurze Zeit später kam Rudy zurück und legte die drei Steine fast ehrfürchtig auf den Tisch. »Sie sind wirklich echt«, sagte er beeindruckt. »Der Juwelier hat allein diesen Diamanten auf dreitausend Pfund geschätzt. Er wollte ihn mir abkaufen.«

»Sehen Sie?« fragte der Chinese. »Sie nicht kaufen, ich dort verkaufe.«

»Hunderttausend Dollar«, sagte Higgins. »Das ist mein letztes Wort!«

Vang Pao wollte seinen Koffer zuklappen. »Ich vergeude hier nur Zeit.«

Higgins hielt ihn am Handgelenk fest. »Halt, hiergeblieben! Wenn Sie mein Angebot nicht annehmen, zeige ich Sie als Rauschgifthändler an!«

In die Schlitzaugen des Alten trat ein ängstlicher Ausdruck. »Das können nicht beweisen!«

»Ich kann es mit diesen Edelsteinen beweisen. Halten Sie die Polizei wirklich für so dumm, daß sie Ihnen glaubt, Sie hätten die Steine ehrlich erworben? Entscheiden Sie sich – hunderttausend – oder eine Gefängniszelle.«

Vang Pao dachte darüber nach. Er sah von einem zum anderen und sagte schließlich leise: »Gut, ich nehme Geld.«

Sam Higgins seufzte erleichtert. Er stand auf, ging zur Tür, rief den zuständigen Abteilungsleiter heran und verlangte 100 000 Dollar.

»Das ist ein ungewöhnlich hoher Betrag«, meinte der andere. »Soviel amerikanisches Geld haben wir unter Umständen gar nicht verfügbar. Und damit wäre Ihr gesamtes Guthaben verbraucht.«

»Lassen Sie das meine Sorge sein. Ich brauche das Geld sofort. Meinetwegen kann ein Teil englische Pfunde sein.«

Es dauerte nicht lange, bis das Geld in ordentlichen Päckchen gebracht wurde. Higgins zählte es sorgfältig nach und gab die Packen Vang Pao, der das Geld ebenfalls zählte. Danach schob der Chinese den Juwelenkoffer über den Tisch und steckte das Geld in einen Leinenbeutel. Er verbeugte sich leicht und ging.

»Was tun wir jetzt?« wollte Rudy wissen. »Wie schmuggeln wir das Zeug außer Landes? Und was ist mit Byrd?«

»Um den brauchen Sie sich keine Sorgen zu machen«, wehrte Higgins ab. »Vielleicht brauchen wir die Steine gar nicht außer Landes zu bringen. Ich gehe gleich zu dem Juwelier hinüber und erkundige mich, wieviel Gewinn sich bei einem Sofortverkauf erzielen läßt.«

Sie verließen die Bank und überquerten die Straße. Sam Higgins betrat das Juweliergeschäft, in dem Ventrose gewesen war, und stellte sich an den Ladentisch. Er mußte einen Augenblick warten, bis der chinesische Verkäufer eine Dame bedient hatte und zu ihm herüberkam. »Ja, Sir?«

Higgins nahm einige Edelsteine aus dem Aktenkoffer. »Ich habe gehört, daß Sie daran interessiert wären, diese Steine zu kaufen.«

Der Mann kniff die Augen zusammen, während er einen Smaragd in Higgins' Hand betrachtete. »Soll das ein Scherz sein, Sir? Dieser Stein ist nicht echt.«

»Was? Rudy, sagen Sie diesem Kerl, was ...« Higgins sah sich um, aber Rudy Ventrose stand nicht mehr hinter ihm. Er war überhaupt nicht mehr im Laden. »Der Mann, mit dem ich hereingekommen bin – der Amerikaner –, er war vorhin bei Ihnen, um einige Steine schätzen zu lassen.«

Der Chinese schüttelte den Kopf. »Wir sind hier keine Schätzstelle.«

»Aber ich hab' gesehen, daß er hier bei Ihnen war!« kreischte Higgins fast.

»Ein Amerikaner hat sich bei uns nach Armbanduhren erkundigt. Meinen Sie vielleicht den?«

Aber Sam Higgins holte jetzt nacheinander alle Steine aus dem Aktenkoffer und hielt sie verzweifelt dem Chinesen hin, der immer wieder den Kopf schüttelte.

Ulysses S. Byrd trat einen Schritt zurück, um die Python in ihrem Käfig zu bewundern. »Wir sind jetzt startbereit, glaube ich«, erklärte er Tarsa. »Hast du dein Gepäck?«

»Alles fertig«, antwortete sie. »Ich wollte nur noch ...«

In diesem Augenblick wurde an die Tür geklopft. Byrd öffnete sie. Aber draußen standen nicht die Männer, die den Schlangenkäfig abholen sollten. Statt dessen erschien Sam Higgins auf der Schwelle und bedrohte Byrd mit einer Pistole.

»Zurück ins Zimmer, Byrd! Ich bin gekommen, um mir mein Geld zu holen.«

Byrd trat lächelnd zurück. »Kommen Sie nur herein, aber ich heiße Jenner und weiß nichts von Ihrem Geld. Sie können noch keine Gewinnauszahlung erwarten, so lange der goldene Buddha weiterhin im thailändischen Dschungel steht.«

»Reden Sie keinen Unsinn, Byrd! Sie haben mich reingelegt mit diesem Gauner Rudy und dem alten Chinesen!«

Aber Ulysses S. Byrd lachte nur. »Ich weiß nicht, wovon Sie reden.«

»Machen Sie die Koffer auf! Auch den der Kleinen! Das Geld ist ein ziemlich großes Paket, und ich finde es, darauf können Sie sich verlassen!«

»Gut, wie Sie meinen«, antwortete Byrd seufzend.

Higgins durchsuchte rasch ihr Gepäck, während er sie weiter mit seiner Pistole bedrohte. Als er nichts fand, sah er im Kleiderschrank und unter der Matratze nach. Nachdem er sogar einen Blick in den Wasserbehälter des WCs im Bad geworfen hatte, wurde er auf den Schlangenkäfig aufmerksam. »Natürlich – der Doppelboden! Aber nicht für Gold, Byrd, sondern für ganz gewöhnliches Papiergeld. Machen Sie ihn auf!«

Byrd nickte Tarsa zu, die rasch an den Käfig trat und auf einen unsichtbaren Hebel drückte. Der Doppelboden sprang nach unten auf. Er war leer.

Das Geld war nirgends zu sehen.

Higgins hob fluchend die Pistole. »Ich gebe Ihnen zehn Sekunden Zeit, Byrd! Dann . . .«

»Ich weiß nichts von Ihrem Geld«, unterbrach Byrd ihn gelassen. »Falls Sie betrogen worden sind, habe ich nichts damit zu tun gehabt. Ich rate Ihnen, möglichst rasch zum Flughafen hinauszufahren, um zu verhindern, daß Rudy Hongkong verläßt.«

Sam Higgins zögerte. Er starrte die beiden an. Tarsa wirkte ehrlich verwirrt; Byrd schien sich zu amüsieren. »Ich komme bald wieder«, versprach Higgins ihnen. »Mit der Polizei!«

Er steckte die Pistole ein, hastete aus dem Hotel und sah sich nach einem Taxi um.

»Entschuldigung«, sagte eine Stimme hinter ihm. »Sind Sie Mr. Sam Higgins?«

Er drehte sich um und sah einen großen Engländer mit weißem Schnurrbart und energischem Gesichtsausdruck hinter sich stehen. »Ja, der bin ich. Und?«

»Ich muß Sie bitten, mich zum nächsten Polizeirevier zu begleiten, Mr. Higgins. Es scheint Schwierigkeiten mit einem Scheck gegeben zu haben, den Sie neulich ausgestellt haben, um einen Hubschrauber zu kaufen. Nach Angabe der Bank ist er ungedeckt.«

Das Flugzeug nach Tokio startete pünktlich um 18.05. Die Maschine war bereits einige Minuten in der Luft, als Tarsa sich an Byrd wandte, der neben ihr saß. »Aber wir fliegen ja gar nicht nach Thailand!«

»Nein, wir fliegen nach Hause.«

»Zurück nach Amerika? Mit der Python?«

»Mit der Python«, bestätigte er.

Sie atmete langsam aus. »Hast du Sam Higgins betrogen?«

»Ich habe nur seine Geldgier ausgenützt. Du wolltest neulich wissen, woher ich den Spitznamen Early Byrd habe. Nun, Sam Higgins hat mich gleich zu Anfang erkannt und war sich darüber im klaren, daß ich versuchen würde, ihn hereinzulegen. Aber er hat erwartet, daß es dabei um den goldenen Buddha gehen würde. Ich habe ihn statt dessen mit einer Abwandlung eines alten Tricks hereingelegt — und unerwartet früh zugeschlagen.« Er lächelte bei dem Gedanken daran. »Ich muß ihm noch eine meiner Vogelfedern schicken — das ist mein Erkennungszeichen, weißt du.«

»Und das Geld?«

»Ich habe Rudy und Vang Pao bereits entlohnt, und du bekommst natürlich auch etwas, sobald du deinen Teil getan hast.«

»Was muß ich denn tun?«

Ulysses S. Byrd lachte. »Du mußt natürlich das Geld wiederbeschaffen. Ich habe die Python dazu gebracht, es in Hongkong zu schlucken. Das Geld ist in Plastikfolie versiegelt, und ich nehme an, daß die Schlange es unverdaulich findet. Für dich ist es bestimmt eine Kleinigkeit, sie nach der Landung dazu zu bringen, daß sie das Geld wieder herauswürgt.«

Seltsame Träume

von

Carol Cail

Mrs. Lambs Nasenträume begannen Anfang Januar. Sie träumte eigentlich nur selten. Gelegentlich hatte sie einen Alptraum, in dem Feuer oder Schlangen vorkamen. Dieser Traum mit ihrer Nase war nicht gerade ein Alptraum, aber er war jedenfalls unangenehm.

In dem Traum sah sie sich die Straße entlanggehen, während die Leute sie anstarrten, miteinander flüsterten und auf sie zeigten. Dann kam sie an einem Spiegel vorbei — und hielt erschrocken den Atem an, als sie sich darin sah. Wo ihre Nase gewesen war, befand sich jetzt nur ein dunkles Loch.

Am ersten Morgen nach diesem Traum erzählte Marie Lamb ihrem Mann beim Frühstück davon. »Was kann mich nur zu diesem Traum inspiriert haben?« meinte sie lachend.

Clayton machte ein nichtssagendes Geräusch in der Kaffeetasse und schlug die Zeitung auf, um den Börsenbericht zu studieren.

Mrs. Lamb erzählte die Traumepisode ihrer Mutter, die jeden Morgen zwei Minuten bevor Clayton das Haus verließ anrief. Mrs. Lambs Anteil an diesen Telefongesprächen bestand meistens aus ›Ja, Mutter‹ oder ›Nein, Mutter‹. Es war nett, über etwas Neues reden zu können.

In dieser Nacht erlebte Mrs. Lamb ihren Traum erneut — allerdings leicht verändert. Diesmal war ihre Nase vorhanden, als sie die Straße entlangging, aber sie mußte sich vorsichtig bewegen, um sie nicht loszuschütteln. In ihrem Traum ging sie zu einem Arzt. Der Arzt schüttelte mehrmals den Kopf und sagte: »Tut mir leid, aber da ist nichts zu machen, meine Liebe.«

Dieser zweite Traum ärgerte Mrs. Lamb. Sie erzählte ihn am Frühstückstisch Clayton. »Wenn ich wenigstens von einem tapferen Ritter in schimmernder Rüstung träumen würde, hätte ich nichts dagegen«, meinte sie gezwungen heiter. Clayton tätschelte ihren Arm und bat sie um die Butter.

In den folgenden zwei Wochen hatte Mrs. Lamb sechsmal diesen quälenden Traum. Die Szenen waren nicht identisch, aber das Thema blieb leider stets gleich – ihre Nase.

Mrs. Lamb begann, ihre Nase täglich genau zu untersuchen, kniff sich in die Nasenspitze, betastete das Nasenbein und betrachtete ängstlich ihr Profil, ohne jedoch eine Veränderung zu entdecken. Wenn sie mit anderen Leuten zusammen war, versuchte sie zu erkennen, ob jemand ihre Nase anstarrte.

Mitte Februar verfolgte der Traum Mrs. Lamb noch immer, und sie war jetzt davon überzeugt, ihre Nase sitze nicht mehr ganz fest. Sie begann, den Kopf steifzuhalten und plötzliche Bewegungen zu vermeiden. Da Schlaf etwas Unangenehmes geworden war, blieb Mrs. Lamb abends lange auf und stand morgens früh auf. Darunter litten ihr Aussehen und ihre Laune.

Clayton bestand schließlich darauf, daß sie zu Dr. Somers ging. Nach gründlicher Untersuchung, die sich auch auf ihre Nase erstreckte, erklärte Dr. Somers ihr, sie sei körperlich völlig gesund. Er gab ihr Schlaftabletten mit.

Die Tabletten wirkten eine Woche lang ausgezeichnet. Mrs. Lamb fühlte sich besser und sah auch danach aus. Aber in der achten Nacht wachte sie mit einem schmerzhaften Wadenkrampf auf. Clayton hörte, wie sie sich im Bett herumwarf, und stand auf, um den Schmerz wegzumassieren.

»Nächstesmal stehst du am besten gleich auf und stampfst mit dem Fuß auf, damit der Krampf sich löst«, riet er ihr, bevor er sich wieder ins Bett legte.

Als Mrs. Lamb endlich wieder einschlief, hatte sie einen besonders schlimmen Traum.

Die drei folgenden Nächte verliefen nach dem gleichen Schema: Mrs. Lamb nahm Schlaftabletten, schlief fest und wachte mit einem Wadenkrampf auf. Während sie aus dem und um das Bett hüpfte, ärgerte sie sich unwillkürlich über Claytons gleichmäßige Atemzüge. Wenn sie dann wieder einschlief, träumte sie Nasenträume.

Mrs. Lamb ging zum zweitenmal zu Dr. Somers. Er wußte keine Erklärung für ihre Wadenkrämpfe, versicherte ihr aber, die Schlaftabletten enthielten nichts, was Krämpfe hervorrufen könne. Er kritzelte einen Namen auf einen Rezeptblock. »Ich rate Ihnen dringend, diesen Kollegen aufzusuchen. Er ist Psychiater.«

Als Mrs. Lamb den Zettel mit der Adresse hastig in ihre Handtasche stopfte, stellte sie zu ihrer Erleichterung fest, daß sie die Schrift nicht lesen konnte.

Während Clayton abends mit Geschäftsfreunden zum Essen ging, las Mrs. Lamb ein Illustrierte, sah sich im Fernsehen einen alten Film an und träumte von blutigen Nasen. Als er nach Hause kam, saß seine Frau im Bett und studierte einen Zettel. Anstatt ihn wie sonst überschwenglich zu begrüßen, sagte sie nur: »Oh, Clayton. Kannst du das hier lesen?«

Er ließ sich den Zettel geben. »›Charles Charter. The Medical Plaza.‹ Wer ist das?«

»Oh, irgendein Facharzt, den Doktor Somers mir empfohlen hat. Wie war's bei dir? Hast du dich gut unterhalten?«

Mrs. Lamb hatte schon viel von Patientinnen gehört, die sich in ihren Psychoanalytiker verliebt hatten, aber ein Blick auf Dr. Charter genügte, um ihre Befürchtungen zu zerstreuen. Er war alt, dick, glatzköpfig, kurzsichtig und ausgesprochen brillant. Schon beim ersten Gespräch vertraute Mrs. Lamb ihm zu ihrer eigenen Überraschung alle möglichen Tatsachen an, die sie sonst geheimhielt — sogar ihr richtiges Alter.

Die Katharsis, die durch weitere Besuche bei Dr. Charter bewirkt wurde, gab Mrs. Lamb neue Kräfte, aber ihre Nasenträume hielten an. Sie versuchte, sich damit abzufinden, daß ihre Nase Nacht für Nacht verschwand. Morgens berichtete sie dann Clayton: »Weißt du, diesmal hat nur die linke Hälfte gefehlt.« Oder: »Ich habe über einen deiner dämlichen Witze gelacht, und sie ist einfach in den Aschenbecher gefallen.« Diesen Bericht wiederholte sie für ihre Mutter, der sie auch als einziger anvertraute, daß Dr. Charter ein Psychiater war.

Eines Tages hatte Mrs. Lamb das unwiderstehliche Bedürfnis, mit einem anderen Menschen über ihr Problem zu sprechen. Sie erzählte ihr Geheimnis ihrer besten Freundin Thelma, die ihr schwor, kein Sterbenswörtchen davon zu verraten. Wenig später wurde Clayton das Opfer zahlreicher Witzbolde, die ihm auf den Rücken klopften und sich nach seiner ›naseweisen Frau‹ erkundigten.

Bei Mrs. Lambs 13. Besuch bei Dr. Charter stellte er am 20. August seine Diagnose. »Dieser Traum, in dem sich ihre Nase auflöst, ist ein Zeichen für innere Unsicherheit, die Sie unbewußt empfinden, weil Sie allmählich älter werden. Sie fürchten, dann weniger attraktiv zu sein. Sie wollen nicht, daß Ihr Mann soviel Zeit im Büro verbringt. Sie bilden sich ein, seine Gefühle Ihnen gegenüber seien erkaltet. Mit anderen Worten fragt Ihr Ich sich: ›Wird er mich auch noch lieben, wenn ich alt und grau bin?‹«

Mrs. Lamb dachte so angestrengt darüber nach, daß sie geistesabwesend die Illustrierte mitnahm, die sie im Wartezimmer gelesen hatte.

Eine halbe Stunde später stand sie in ihrem eigenen Wohnzimmer und starrte die Worte auf dem Zettel an, den sie auf dem Kaminsims gefunden hatte. Clayton hatte geschrieben: *Marie, tut mir leid, aber ich halte diese Sache mit der Nase nicht mehr aus. Das ist der einzige Grund; dahinter steckt keine andere Frau. Clayton.*

Nachdem Mrs. Lamb im Wohnzimmer auf und ab gegangen war und die Hände gerungen hatte, leistete sie sich einen Weinkrampf, der mit Unterbrechungen den ganzen Abend lang anhielt. Um acht Uhr warf sie sich aufs Bett, schlief sofort ein und wachte erst auf, als am nächsten Morgen um acht das Telefon klingelte.

»Mutter? Nein, Mutter, hör zu! Weißt du was? Ich hab' heute nacht wunderbar geschlafen. Doktor Charter hat recht gehabt. Er hat gesagt, ich hätte Alpträume, weil ich fürchte, Clayton zu verlieren. Jetzt hat Clayton mich verlassen, so daß ich mir keine Sorgen mehr zu machen brauche. Nein, Mutter, hör zu. Ich muß mir jetzt überlegen, was ich tun werde. Am besten rufst du später noch einmal an.«

Am 24. August erschien Mrs. Lamb unangemeldet bei Dr. Charter. Er hatte sie noch nie so strahlend erlebt; sie wirkte energischer und selbstsicherer als je zuvor. Mrs. Lamb bezahlte ihre Rechnug und sagte alle zukünftigen Termine ab. »Die Situation hat sich von selbst gelöst. Clayton hat mich verlassen, und ich habe eine Westindien-Kreuzfahrt gebucht.«

»Mrs. Lamb, Sie wollen doch bestimmt, daß ich mich mit Ihrem Mann in Verbindung setze. Wenn er und ich vernünftig darüber reden ... Es gibt keinen Grund, warum Sie nicht gut schlafen und trotzdem einen Ehemann haben können sollten.«

Der Arzt bemühte sich vergeblich, sie zu überzeugen. Marie Lamb blieb bei ihrem Entschluß.

Die zweiwöchige Kreuzfahrt war ein großer Erfolg. Zu Anfang schlief Marie stets und überall in der Sonne und träumte dabei angenehme Träume. Dann machte sie die Bekanntschaft zweier Schwestern in der Kabine nebenan, die sie in eine Clique einführten, zu der zehn Mitreisende von einem Geistlichen und seiner Frau bis zu einem homosexuellen Liberationisten gehörten.

Nachdem sie tagsüber Landausflüge gemacht, gebadet und Andenken gekauft hatte, schloß Marie sich abends dieser Gruppe an, die bis in die Morgenstunden diskutierte oder sich sonstwie unterhielt. Die anderen amüsierten sich über ihre Unerfahrenheit und machten sie in einem Schnellkurs mit allem von Macramé bis Marijuana bekannt. Dann war die Kreuzfahrt leider viel zu früh zu Ende, und ihre Freunde liefen am Kai auseinander.

Ein Taxi brachte Marie und ihr Gepäck am 17. September um 19.45 nach Hause zurück. Sie schloß die Haustür auf, nahm die beiden kleinsten Koffer mit und betrat die Diele.

Clayton saß im Wohnzimmer in seinem Lieblingssessel. »Das ist eine Überraschung, was?« fragte er grinsend.

Marie stand wie angenagelt da.

»Ich bin vor einer Stunde durch die Hintertür hereingekommen«, fuhr Clayton fort. »Ich hab' sie mit einem Dietrich aufsperren müssen, weil ich keine Hausschlüssel mehr hatte. Ich find's wunderbar, wieder zu Hause zu sein, kann ich dir sagen!«

Sie stand noch immer an der Tür und starrte Clayton sprachlos an.

Er räusperte sich verlegen. Schließlich nahm er einen neuen Anlauf: »Du siehst prima aus. Die Sonnenbräune macht dich ein paar Jahre jünger.«

Sie kam herein und ließ sich seufzend in einen Sessel fallen.

Clayton wurde unruhig. »Hör zu, Liebling, mir ist inzwischen klar geworden, daß es ein großer Fehler war, dich zu verlassen. Ich hätte mehr Geduld mit deiner ... äh ... Nase haben sollen. Ich entschuldige mich für alles ... und ... für alles.«

»Du bist wieder da«, sagte sie ausdruckslos.

Er nickte. »Leibhaftig«, bestätigte er.

»Und du wirst mich nie mehr verlassen, nehme ich an?«

»Niemals!« antwortete er heftig nickend.

»Würdest du dann bitte mein Gepäck nach oben tragen?«

»Selbstverständlich, Schatz«, sagte er mit einem Seufzer der Erleichterung.

Oben warf er die beiden Koffer aufs Bett und lächelte seiner Frau großmütig zu. Sie war inzwischen an den Nachttisch getreten. »Draußen stehen noch weitere Koffer«, erklärte sie ihrem Mann. »Holst du sie bitte auch herein?«

»Natürlich, natürlich! Für meine Süße tue ich alles!«

Ihm fiel auf, daß ihre Hand zitterte, als sie die Nachttischschublade aufzog.

Clayton ging pfeifend zur Treppe. Er wollte eben nach unten gehen, als Marie ihn von der Schlafzimmertür aus ansprach: »Clayton!« Als er sich umdrehte, hielt sie die Pistole schußbereit in der Hand. Sie traf ihn zwischen die Augen.

Es dauerte einige Sekunden, bis Clayton die Treppe hinuntergepoltert war. Als dann wieder Stille herrschte, wischte sie die Traggriffe der beiden Koffer sorgfältig ab, brachte wieder ihre eigenen Fingerabdrücke an und setzte sich auf die Bettkante neben das Telefon. In der Abenddämmerung waren die Zahlen auf der Wählscheibe gerade noch zu erkennen. Sie wartete noch einige Minuten und machte dann Licht, um zu wählen.

»Hier ist Marie Lamb«, sagte sie und gab ihre Adresse an. »Ich habe eben einen Einbrecher erschossen.«

Der Polizist ermahnte sie, alles unverändert zu lassen, bis die Kriminalbeamten eintrafen.

»O, das tue ich bestimmt!« versicherte sie ihm. »Ich habe mir nicht einmal den Toten angesehen. Ich will heute nacht ruhig schlafen können!«

Der Trick

von
William Brittain

Die dritte Unterrichtsstunde ging eben erst zu Ende, aber Mr. Strang wußte bereits, daß ihm ein schlimmer Tag bevorstand. Im Chemieunterricht war ein Reagenzglas explodiert und hatte seine Jacke, sein Hemd und seine Krawatte mit einer hellroten Flüssigkeit bespritzt, die sich auch durch chemische Reinigung nicht mehr entfernen lassen würde. Im Physiksaal hatte er versehentlich eine voll aufgeladene Leydener Flasche angefaßt und einen elektrischen Schlag bekommen, der nicht nur seine Hand gefühllos machte, sondern auch seine wenigen Haare zu Berge stehen ließ, was ihm peinlich war und bei seinen Schülern Lachsalven auslöste. Und die Gouramis im Aquarium litten alle an Verdauungsstörungen, weil irgendein Schwachsinniger seinen Bleistiftspitzer ins Wasser geleert hatte.

Aber Mr. Strang hatte die nächste Stunde frei und wünschte sich nichts mehr, als im Lehrerzimmer der Aldershot High School auf der Couch liegen und heißen Kaffee schlürfen zu können. Als die Sprechanlage in dem Augenblick summte, in dem er den Raum verlassen wollte, mußte er sich deshalb beherrschen, um den Apparat nicht von der Wand zu reißen und auf dem Boden zu zertrampeln.

»Guthrey«, meldete sich eine Stimme, als Mr. Strang den Hörer abnahm. »Leonard, wären Sie so freundlich, in dieser Stunde in mein Büro zu kommen?

Marvin W. Guthrey, der Direktor der Aldershot High School, hatte die Angewohnheit, Lehrkräfte zu sich ins Büro zu zitieren, ohne ihnen zu sagen, was er von ihnen wollte. Das führte dazu, daß seine Lehrer Nervosität und Unsicherheit empfanden — wie Mr. Strang, als er jetzt anklopfte.

»Herein!« rief Guthrey. Mr. Strang betrat das Büro. Der Direktor thronte hinter seinem Schreibtisch zwischen drei Telefonen und hohen Papierstapeln. Ein kahlköpfiger Mann Anfang Fünfzig, der einen zerknitterten Tweedanzug trug, saß im Besuchersessel.

»Leonard«, sagte Guthrey und stand auf, »das hier ist Mr. Wesley Bilik, Chef der hiesigen Firma Bilik Motors. Außerdem ist er Vorsitzender der Industrie- und Handelskammer von Aldershot. Und er . . .«

»Und er spielt jeden Donnerstagabend Poker, wobei er sich als großer Bluffer erweist.« Mr. Strang nahm seine schwarze Hornbrille ab und blinzelte Bilik lächelnd zu. »Hallo, Wes.«

»Guten Morgen, Leonard«, antwortete Bilik. Er wandte sich an Guthrey. »Mr. Strang und ich kennen uns bereits«, erklärte er ihm überflüssigerweise.

»Das sieht man.« Guthrey nahm wieder Platz. »Dann können wir dieses Problem vielleicht etwas weniger förmlich behandeln.«

»Problem?« Mr. Strang sah von einem zum anderen. »Welches Problem, Wes?«

»Weißt du noch, daß du vor ein paar Wochen zu mir gekommen bist?« fragte Bilik. »Wir haben über das Arbeits-Lern-Programm hier an der Schule gesprochen.«

»Natürlich erinnere ich mich daran«, bestätigte der Lehrer. »Manche unserer Schüler haben Schwierigkeiten in der Schule, und wir waren der Meinung, es wäre vielleicht gut, wenn sie morgens in die Schule gehen und nachmittags irgendwo arbeiten würden.«

»Richtig«, stimmte Bilik trocken zu. »Und du hast mich gebeten, mich bei hiesigen Firmen dafür einzusetzen, damit die jungen Leute Arbeit bekommen. Wie du bestimmt noch weißt, war ich von dieser Idee nicht allzu begeistert. Ich meine, Schüler, die in der Schule Schwierigkeiten haben, sind nicht unbedingt Arbeitskräfte, die man im eigenen Betrieb anstellen möchte. Das mußt du verstehen.«

»Aber du hast mir versprochen, wenigstens einen Versuch zu machen, Wes. Du hast zugesagt, Vince Quale bei dir zu beschäftigen, und du wolltest der Industrie- und Handelskammer das Programm empfehlen, falls es mit ihm klappt.«

»Ich habe Vince vor zehn Tagen eingestellt«, bestätigte Bilik. »Deshalb bin ich jetzt hier.«

»Das verstehe ich nicht«, meinte der Lehrer mit gerunzelter Stirn.

»Ich habe Vince gestern entlassen müssen, Leonard.«

»Oh.« Mr. Strang putzte sich nervös die Brille an seiner Krawatte. »Hör zu, Wes, Vince ist vielleicht nicht der Klügste. Er braucht ein bißchen Zeit, um zu verstehen, was er zu tun hat. Aber er gibt sich bestimmt Mühe. Davon bin ich überzeugt.«

»Er arbeitet gut. Das ist nicht das Problem.«

»Nun, wenn er irgend etwas beschädigt hat, läßt sich vielleicht eine Möglichkeit finden, dir den Schaden zu ...«

»Hör auf, Leonard, verdammt noch mal!« unterbrach Bilik ihn wütend. »Für was für einen Schuft hältst du mich eigentlich? Ich würde niemand rausschmeißen, nur weil er aus Versehen etwas ruiniert hat. Aber diesmal war's Absicht!«

»Was war Absicht, Wes?« erkundigte sich der Lehrer.

»Er hat mich bespitzelt«, antwortete Bilik. »Er hat Informationen weitergegeben, die vertraulich bleiben sollten. Ich weiß nicht, wieviel er dafür bekommen hat, aber ...«

»Augenblick!« Mr. Strang schüttelte heftig den Kopf. »Vince Quale hat Schwierigkeiten mit dem Lehrstoff, aber er hat noch nie etwas Unehrliches getan. Dafür würde ich meine Hand ins Feuer legen.«

»Das erübrigt sich wohl, Leonard«, warf Guthrey ein. »Mr. Bilik hat mir freundlicherweise versprochen, diesen Fall nicht in die Zeitung zu bringen, aber ...«

»Aber Vince Quale bekommt sein Leben lang in Aldershot keinen Job mehr, stimmt's? Und das geplante Programm wird ebenfalls gestrichen, damit die Schule nur ja keinen Ärger bekommt.« Mr. Strang wandte sich an Bilik. »Was hat Vince angeblich verbrochen, Wes? Hat er nationale Verteidigungsmaßnahmen verraten? Ist er mit einer Kleinstkamera herumgeschlichen, um Dokumente zu fotografieren?«

»Nein, Leonhard, natürlich nicht.«

»Was hat er gesagt, als du ihm vorgeworfen hast, dich bespitzelt zu haben?«

»Er hat natürlich alles geleugnet. Aber die ganze Sache ist so eindeutig, daß . . .«

»Für mich ist überhaupt nichts klar!« Mr. Strang setzte seine Brille auf und starrte Bilik eulenhaft an. »Bevor wir den Stab über Vince brechen, möchte ich von dir hören, was eigentlich passiert ist.«

»Das Ganze ist vorgestern gewesen«, begann Bilik geduldig. »J. J. Calish, mein Kundendienstleiter, war bei mir im Büro. Wir haben das Angebot ausgearbeitet.«

»Angebot? Welches Angebot?«

»Alle zwei Jahre holt die hiesige Polizei Angebote für neue Dienstfahrzeuge ein. Es gibt immer nur zwei Anbieter: Bilik Motors und Halbert Automotive. Manchmal bekommen wir den Auftrag, manchmal bekommt ihn Halbert. Aber dieses Jahr ist es um mehr gegangen.«

»Was soll das heißen?« erkundigte Mr. Strang sich.

»Die Stadtwerke haben bekanntgegeben, daß sie demnächst mehrere neue Lastwagen anschaffen wollen. Und sie werden sich vermutlich an den Angeboten der Polizeifahrzeuge orientieren, um einen gewissen Anhalt zu haben, wenn sie die Lastwagen bestellen. Beide Aufträge zusammen würden der Firma, die sie bekommt, einen hübschen Gewinn bringen.«

»Aha.« Mr. Strang nickte. »Okay, du und Calish wart also in deinem Büro, um das Angebot auszuarbeiten. Was ist dann passiert?«

»Wir sind kurz vor elf in mein Büro gegangen«, berichtete Bilik. »J. J. hat ein paar Telefongespräche geführt, um in der Werkstatt und im Verkaufsraum zu sagen, daß wir nicht gestört werden wollten. Dann haben wir uns an den Tisch gesetzt, um das Angebot zusammenzustellen.«

»Bisher ist Vince noch gar nicht aufgetaucht«, stellte Mr. Strang fest. »Kommen wir jetzt dazu?«

»Okay. Gegen halb eins ist J. J. zur Tür gegangen und hat einem der Mechaniker zugerufen, er solle den Jungen losschicken, damit er uns Kaffee und Sandwiches holt. Vince war gerade beim Essen, aber der Mechaniker wollte ihn gleich wieder wegschicken.«

Bilik beugte sich nach vorn und ließ Mr. Strang nicht aus den Augen. »Jetzt spielen die Zeiten eine Rolle«, fuhr er fort. »Gegen halb zwei hatten wir das Angebot fertig. Zweiundzwanzigtausendfünfhundert Dollar. Ich habe mir die endgültige Zahl auf dem Arbeitsbogen vor mir notiert. Eine Minute später ist Vince mit dem Kaffee und den Sandwiches hereingekommen. Er hat die Sachen auf meinen Schreibtisch neben die Zahlenreihen gestellt. Dabei muß er die Endsumme gesehen haben.«

»Und?« Der Lehrer zuckte mit den Schultern. »Du hast etwas bestellt, und er hat es gebracht. Das ist kein Verbrechen.«

»Wart's nur ab! J. J. und ich haben noch einige Zeit gebraucht, um die vorgeschriebenen Angebotsformulare auszufüllen. Es war schon halb vier, als wir zum Rathaus gefahren sind, um das Angebot abzugeben. Das war ziemlich knapp, denn die Angebotsfrist war um vier zu Ende. Im Rathaus haben wir erfahren, daß Halbert Automotive sein Angebot bereits abgegeben hatte — gegen drei Uhr.«

Bilik machte eine Pause und fuhr sich mit dem Taschentuch über die Stirn. »Die Angebote sind gestern geöffnet worden«, berichtete er weiter. »Halbert Automotive hat den Zuschlag bekommen.«

»Gut, dann warst du also dieses Jahr zu teuer«, meinte Mr. Strang. »Ich verstehe nur nicht . . .«

»Verdammt noch mal, Leonard, Halbert hat zweiundzwanzigtausendvierhundertfünfzig Dollar verlangt!« Bilik umklammerte die Armlehnen seines Sessels. »Bei einem Auftrag in dieser Größenordnung war Halbert nur fünfzig Dollar billiger als wir.«

»Hmm.« Mr. Strang kratzte sich hinter dem Ohr. »Halberts Angebot kann kein Zufall sein, was?«

Bilik schüttelte nachdrücklich den Kopf. »Halbert und wir haben unsere Angebote immer auf hundert Dollar auf- oder abgerundet. Es wäre ein Wunder gewesen, wenn Halbert ausgerechnet diesmal beschlossen hätte, genauer zu kalkulieren. Und ich glaube nicht an Wunder, Leonard.«

Der Lehrer biß sich auf die Unterlippe. »Du unterstellst also, daß Vince das Angebot gesehen haben muß, als er euch den Kaffee gebracht hat. Das war gegen dreizehn Uhr vierzig. Und irgendwann zwischen diesem Zeitpunkt und fünfzehn Uhr muß er Halbert Automotive informiert haben, stimmt's?«

»Ich ›unterstelle‹ gar nichts! Ich weiß, daß es so war!«

»Wie kommst du darauf?« fragte Mr. Strang grimmig.

»Weil es einfach keine andere Möglichkeit gibt. Nur Calish und ich haben gewußt, wie hoch unser endgültiges Angebot war. Und wir sind ständig zusammen gewesen, bis wir zum Rathaus gefahren sind.«

Mr. Strang dachte darüber nach. »In deinem Büro kann wohl kein verstecktes Mikrofon oder ...«, begann er zögernd.

»Halt!« Bilik hob die Hand. »Als ich von Halberts Angebot gehört habe, war ich natürlich wütend. Aber ich wollte Vince nichts vorwerfen, solange es noch andere Möglichkeiten gab. Deshalb habe ich mein Büro von Experten untersuchen lassen, Leonard. Das hat mich eine Stange gekostet, und sie haben nichts gefunden. Keine Mikrofone, keine Drähte, kein Zeichen, daß irgendwo etwas eingebaut gewesen ist.«

»Wie steht es mit der Möglichkeit, daß ein Minisender verwendet worden ist? Ein Gerät, das drahtlos arbeitet?«

»Nein, Leonard.« Bilik zeigte mit dem Daumen nach unten. »Die Außenwände und die Decke meines Büros bestehen aus Blechplatten. Nach Aussage der Experten hätten sie ein Funksignal wirkungsvoll abgeschirmt. Sie haben mir erklärt, in meinem Büro sei garantiert keine Wanze versteckt gewesen.«

»Meiner Meinung nach ist der Fall klar«, warf Guthrey ein, »wenn wir Mr. Strangs Spionagetricks unberücksichtigt lassen. Vince ist hereingekommen, hat das Angebot gesehen und Halbert Automotive informiert.«

»Und hat dafür ein paar hundert Dollar kassiert«, fügte Bilik erbittert hinzu.

»Aber Vincent Quale ist nicht der Typ, dem so etwas zu-

zutrauen ist!« protestierte Mr. Strang. »Er war dir sehr dankbar, weil du ihn angestellt hast. Er hätte dich bestimmt nie auf diese Weise verraten.«

»Tatsachen sind Tatsachen«, sagte Bilik.

»Unsinn!« widersprach der Lehrer. »Wissenschaftler haben jahrhundertelang sogenannte ›Tatsachen‹ verteidigt. Galilei ist eingesperrt worden, weil er behauptet hat, die Erde bewege sich um die Sonne, obwohl jedermann ›wußte‹, daß das Gegenteil der Fall war. Und Einsteins Theorien . . .«

»Hör zu, ich will keinen Streit mit dir, Leonard«, unterbrach Bilik ihn. »Ich mache dir einen Vorschlag. Du kommst bei mir vorbei, sobald du Zeit hast, und überzeugst dich selbst davon, daß nur Vince Quale diese Information an Halbert weitergegeben haben kann. Dann verstehst du bestimmt auch, warum ich euer Programm nicht in der Industrie- und Handelskammer weiterempfehlen kann.«

»Ausgeschlossen!« warf Guthrey ein. »Leonard, Sie haben den Ruf der Schule ohnehin schon aufs Spiel gesetzt. Wenn die Presse davon erfährt . . .«

»Einverstanden, Wes«, sagte Mr. Strang, ohne auf die Einwände des Direktors zu achten. »Ich komme heute nach dem Unterricht zu dir. Aber nur unter einer Bedingung . . .«

»Ja?«

»Falls ich dir beweisen kann, daß Vince Quale unschuldig ist, mußt du dich bei ihm entschuldigen und ihn wieder einstellen. Und du mußt bei den anderen Geschäftsleuten für unser Programm werben.«

»Jetzt verstehe ich, warum du so gerissen pokerst«, meinte Bilik grinsend. »In Ordnung, einverstanden.« Er stand auf und schüttelte dem Lehrer die Hand. »Bis später, Leonard«, sagte er dabei.

Gegen vier Uhr nachmittags parkte Mr. Strang seinen uralten purpurroten Wagen vor der Firma Bilik Motors. Die chromblitzenden Neuwagen im Ausstellungsraum schienen das zerbeulte Auto des Lehrers verächtlich zu mustern, als sei es irgendein armer Verwandter, den sie am liebsten enterbt hätten.

Mr. Strang betrat das Gebäude, durchquerte den Verkaufsraum und fand Biliks Büro.

»Nur herein, Leonard!« rief Bilik, als der Lehrer langsam die Tür öffnete.

Mr. Strang sah sich um und stellte fest, daß das mit Leuchtstoffröhren erhellte Büro keine Fenster hatte. Wieder eine unhaltbare Theorie weniger.

»Augenblick!« sagte Bilik und zog das Telefon zu sich heran. »Ich hole nur J. J. Calish her.« Er wählte eine vierstellige Nummer, und der Lehrer hörte irgendwo im Hintergrund des Gebäudes eine Klingel schrillen. »Mike? J. J. soll zu mir ins Büro kommen ... Nein, das ist im Augenblick nicht so wichtig. Ich brauche ihn gleich.«

Kaum eine Minute später wurde die Bürotür von einem großen stämmigen Mann geöffnet, dessen kantiges Gesicht wie aus Holz geschnitzt zu schein schien. Er trug blaue Arbeitskleidung und hatte einen Ölfleck auf der Backe. »Das ist J. J. Calish, mein Kundendienstleiter«, erklärte Bilik dem Lehrer. »J. J., das ist Mr. Strang.«

»Ja«, knurrte Calish und schüttelte Mr. Strang die Hand. »Sie müssen schon entschuldigen, wenn ich nicht gerade vor Begeisterung Rad schlage, weil Sie hier sind.«

»Das ist durchaus verständlich«, antwortete der Lehrer. »Ich bin schließlich hier, um nach Möglichkeit Vince Quales Unschuld zu beweisen. Und falls er unschuldig ist, müssen Sie oder Mr. Bilik absichtlich oder versehentlich die Katze aus dem Sack gelassen haben.«

»Das sage ich Ihnen nur, damit wir wissen, wo wir stehen«, fuhr Calish fort. »Der Junge war's jedenfalls, daran ist kein Zweifel möglich.«

»Vielleicht. Hat es hier im Büro wie jetzt ausgesehen, als ihr vor zwei Tagen das Angebot ausgearbeitet habt, Wes?«

»Ja«, bestätigte Bilik. »Mein Schreibtisch hat dort drüben gestanden. Wir haben an diesem Tisch hier gearbeitet. Inzwischen ist nichts verändert worden. Ich habe nicht einmal zugelassen, daß die Aschenbecher geleert wurden!«

Mr. Strang nickte. »Und wo hast du gesessen, Wes?«

»Hier.« Bilik zeigte auf einen Stuhl. »J. J. hat dort drüben gesessen.«

»Aha. Ich nehme an, daß ihr beide mit Papier und Bleistift gearbeitet habt, stimmt's?«

»Ja, natürlich«, bestätigte Bilik. »Aber wenn du an eine schriftliche Mitteilung denkst, Leonard ...«

»Ich denke vorläufig an gar nichts«, unterbrach Mr. Strang ihn. »Ich versuche nur, mir ein Bild davon zu machen, was hier vorgegangen ist.«

»Ich hab' überhaupt nichts geschrieben«, warf Calish mürrisch ein. »Ich hab' nur die Preise für die Wagen und die Sonderausstattungen rausgesucht und Mr. Bilik angegeben.«

»Außerdem hat er mindestens ein Dutzend Zigaretten geraucht und einen Kühlwasserschlauch mit dem Taschenmesser in Scheiben geschnitten«, fügte Bilik lächelnd hinzu. »Eines der Stücke hat im Ascherbecher zu schwelen begonnen. Das war ein Gestank, sage ich dir!« Er suchte die schwarze Gummischeibe aus dem Aschenbecher heraus. Sie war etwa einen Zentimeter hoch und hatte reichlich zwei Zentimeter Innendurchmesser. Bilik zeigte sie Mr. Strang.

»Sieht wie eine Beilegescheibe aus, was?« meinte der Lehrer geistesabwesend und ließ sie wieder in den Aschenbecher fallen. »Soviel ich gehört habe«, fuhr er fort, »sind Sie um halb eins zu der Tür dort drüben gegangen, Mr. Calish, und haben einem Mechaniker zugerufen, er solle Vince hereinschicken.«

»Ich hab' Harold gerufen«, antwortete Calish. »Das kann er bestätigen. Er hat geantwortet, Vince sei beim Essen. Ich hab' ihn aufgefordert, ihn Kaffee und Sandwiches holen zu lassen.«

»Was ist dann passiert?«

»Ich hab' mich wieder an den Tisch gesetzt, und Mr. Bilik und ich haben weitergearbeitet. Gegen halb zwei hatten wir das Angebot fertig.«

»Und dann ist Vince mit Kaffee und Sandwiches hereingekommen«, warf Bilik ein.

»Aber du weißt bestimmt, daß er erst hier war, nachdem du die Angebotssumme niedergeschrieben hattest?«

»Ganz bestimmt, Leonard. Aber was ...«

»Hat Vince angeklopft, bevor er hereingekommen ist?«

»Ja, er hat angeklopft«, bestätigte Calish ungeduldig. »Ich hab' ›Herein!‹ gerufen. Wenn ich dadurch mitschuldig bin, bin ich eben mitschuldig.«

»Immer mit der Ruhe, J. J.«, forderte Bilik ihn auf. »Niemand macht Ihnen deswegen Vorwürfe.« Er wandte sich an den Lehrer. »J. J. ist seit einigen Wochen ein richtiges Nervenbündel. Wir haben mehr Arbeit, als unsere Leute schaffen können. Das macht einen nach einiger Zeit fertig.«

»Ja, das kann ich mir vorstellen«, stimmte Mr. Strang zu. Er trat an den Tisch. »Vince ist hierher an deinen Platz gekommen, stimmt's?«

»Er hat dicht neben mir gestanden«, bestätigte Bilik. »Und ich hatte den Zettel mit allen Zahlen vor mir. Er muß die Gesamtsumme gesehen haben.«

»Er hat den Kaffee und die Sandwiches hingestellt und ist wieder gegangen«, warf Calish ein. »Wahrscheinlich hat er sofort erkannt, was er da gesehen hatte, und ist gleich ans Telefon gelaufen, um Halbert anzurufen.«

»Vielleicht.« Mr. Strang ging ans Telefon und nahm den Hörer ab. »Vielleicht ist einem der Mechaniker etwas an Vince aufgefallen, als er hier aus dem Büro gekommen ist«, meinte er. »Unter Umständen diesem Harold, von dem vorhin die Rede war. Ist die Werkstatt über diesen Apparat zu erreichen, Wes?«

»Du brauchst nur zwei-eins-vier-drei zu wählen«, antwortete Bilik. »Das ist Harolds Arbeitsplatz. Sag ihm, daß er herkommen soll.«

Mr. Strang wollte die Nummer wählen. Dann schüttelte er den Kopf und drückte auf den Knopf in der Mitte der Gabel, so daß die Verbindung unterbrochen wurde. »Vielleicht ist es besser, zuerst Vince herzuholen«, meinte er. »Kann ich von hier aus auch nach auswärts telefonieren?«

»Klar. Du wählst als erstes eine Neun. Dadurch bekommst

du eine Amtsleitung. Dann wählst du die entsprechende Teilnehmernummer.«

»Aha.« Mr. Strang legte langsam den Hörer auf. »Eigentlich ist Vinces Anwesenheit doch überflüssig.«

»Nimmst du endlich Vernunft an, Leonard?« erkundigte Bilik sich. »Gibst du zu, daß nur Vince Quale als Täter in Frage kommen kann?« Er warf Mr. Strang einen erwartungsvollen Blick zu. »Habe ich recht?«

»Nein, du täuschst dich«, antwortete der Lehrer ruhig.

»Was?« Bilik schlug ungeduldig mit der flachen Hand auf den Schreibtisch. »Hör zu, Calish und ich waren die ganze Zeit gemeinsam in diesem Raum. Und der Junge war der einzige Außenstehende, der das Angebot gesehen hat. Wie soll diese Information sonst in falsche Hände gelangt sein?«

»Durch eine Abhöranlage in deinem Büro, Wes – wie ich schon heute vormittag vermutet habe.«

»Unsinn!« protestierte Bilik. »Die Fachleute, die hier alles kontrolliert haben, haben nicht die geringste Spur gefunden. Und da willst du ...«

»Das Ganze war durchaus einfach«, unterbrach Mr. Strang ihn. »›Schön und einfach wie alle wirklich großen Betrügereien‹, um O. Henry zu zitieren.«

»Sie brauchen mir nur zu sagen, wann Sie genug haben, Mr. Bilik«, knurrte Calish, »dann schmeiße ich den kleinen Kerl auf die Straße, wo er hingehört.«

Bilik hob abwehrend die Hand. »Noch nicht, J. J.«, sagte er. »Ich habe mit Mr. Strang vereinbart, daß ich ein Programm seiner Schule unterstütze, falls er mir beweisen kann, daß unser Angebot auf andere Weise zu Halbert gelangt ist. Jetzt muß ich ihm bis zum Ende zuhören, auch wenn ich ihn für übergeschnappt halte.« Er trat hinter seinen Schreibtisch und ließ sich in seinen Drehsessel fallen. »Okay, Leonard, wie hat Halbert von dem Angebot erfahren?«

»Natürlich durch Calish. Durch wen denn sonst?«

»Ausgeschlossen! Er war die ganze Zeit mit mir zusammen!« Bilik beherrschte sich mühsam und sprach leise weiter. »Wie, Leonard?« fragte er. »Ich möchte nur wissen, *wie*.«

»Mr. Bilik, wollen Sie diesem lächerlichen kleinen ...«

»Immer mit der Ruhe, J. J. Er soll sich ruhig lächerlich machen, dann können Sie ihn an die frische Luft setzen. Leonard, du hast das Wort«, schloß er mit hörbar skeptischer Stimme.

»Danke.« Mr. Strang nahm seine schwarze Hornbrille ab und steckte sie ein. »Ich bin als erstes mißtrauisch geworden, als du mir erzählt hast, daß Calish zur Tür gegangen ist und einem Mechaniker zugerufen hat, Vince solle Kaffee und Sandwiches bringen.«

»Was ist daran verdächtig?« erkundigte Bilik sich. »Wir waren beide hungrig.«

»Das glaube ich. Aber auf deinem Schreibtisch steht ein Telefon, mit dem man in der Werkstatt anrufen kann. Wäre es nicht einfacher gewesen, die Nummer der Nebenstelle zu wählen, anstatt aufzustehen, zur Tür zu gehen und nach dem Mechaniker zu rufen?«

Bilik überlegte. »Okay, wahrscheinlich hast du recht«, gab er schließlich zu. »Aber das ist nicht weiter wichtig, stimmt's?« Er sah zu Calish hinüber. »Warum haben Sie nicht telefoniert, J. J.?«

»Keine Ahnung. Ich hab' mir ...«

»Ich kann dir sagen, warum er nicht telefoniert hat«, unterbrach ihn der kleine alte Lehrer. »Er konnte das Telefon nicht benützen, weil es für andere Zwecke gebraucht wurde – um jedes Wort zu übertragen, das hier im Büro gesprochen wurde. Das war die Abhöranlage, Wes ... das Telefon neben dir!«

Bilik starrte den Apparat angewidert an. »Aber es ist auch untersucht worden«, wandte er ein. »Die Experten haben nichts gefunden, was darauf schließen ließ, die Leitung sei angezapft worden.«

»Ich habe nicht behauptet, die Leitung sei angezapft worden. Der Apparat allein hat genügt. Ein gewöhnliches Telefon – vielleicht ein bißchen altmodisch, aber technisch einwandfrei in Ordnung.«

»Aber ... aber wie?« fragte Bilik verwirrt. »Als wir hier waren, hat keiner von uns den Hörer abgenommen.«

»Bleib' gefälligst bei deiner ersten Aussage! Du hast mir erzählt, daß Calish telefoniert hat, nachdem ihr hereingekommen wart«, fauchte der Lehrer.

»Ja, das stimmt«, bestätigte Bilik nachdenklich. »Er hat in der Werkstatt und im Verkaufsraum angerufen, um zu sagen, daß wir nicht gestört werden wollten. Aber zu diesem Zeitpunkt hatten wir noch nicht einmal damit begonnen, das Angebot auszuarbeiten.«

»Ah, aber du *weißt* nicht, ob er wirklich mit der Werkstatt und dem Verkaufsraum gesprochen hat, habe ich recht, Wes? Ich meine, du hast nicht an einem anderen Apparat mitgehört oder dergleichen?«

»Ich habe gesehen, wie er gewählt hat, und war der Meinung, er ...«

»Diese Meinung interessiert mich jetzt nicht«, unterbrach Mr. Strang ihn. »Du weißt nur, daß Calish vier Zahlen gewählt und etwas ins Telefon gesagt hat. Dann hat er noch viermal gewählt. Das bedeutet, daß er insgesamt acht Zahlen gewählt hat.«

»Diesen Blödsinn brauche ich mir nicht länger anzuhören!« brüllte Calish. »Mr. Bilik, wenn Sie mich brauchen, bin ich in der ...«

»Sie bleiben hier, bis ich Ihnen sage, daß Sie gehen können«, knurrte Bilik. »Sonst sorge ich dafür, daß Sie diesseits des Nordpols keinen Job mehr in der Autobranche bekommen. Bitte weiter, Leonard. Wir waren eben dabei, daß Calish acht Zahlen gewählt hat.«

»Richtig. Nehmen wir einmal an, die erste sei eine Neun gewesen.« Mr. Strang griff nach dem Telefonhörer und wählte eine Neun. »Und nun wählen wir weitere drei Zahlen«, fuhr er fort. Er demonstrierte, was ermeinte. »Danach spreche ich hinein, wie Calish es getan hat. Aber hör dir das an, Wes!« Er hielt Bilik den Hörer ans Ohr.

»Nur ein Summen«, meinte Bilik verblüfft.

»Das kommt daher, weil ich noch nicht zu Ende gewählt

habe.« Mr. Strang wählte noch vier Zahlen. »Was hörst du jetzt?« fragte er.

»... des Zeitzeichens ist es sechzehn Uhr einundreißig und zwanzig Sekunden«, sagte eine Frauenstimme. Dann ertönte ein Gong. »Beim Ton des Zeitzeichens ist es sechzehn Uhr einundreißig und dreißig Sekunden.«

»Calish hat also nach draußen telefoniert«, stellte Bilik fest. »Aber wie hat er erreicht, daß die Verbindung nicht mehr unterbrochen wurde, Leonard? Ich meine, mir wäre doch aufgefallen, wenn der Hörer nicht aufgelegt gewesen wäre.«

Mr. Strang ließ den Hörer auf dem Schreibtisch liegen und trat an den Tisch. Dort suchte er etwas aus dem überquellenden Aschenbecher heraus und hielt es hoch: das Stück Kühlwasserschlauch.

»Das hier ist das ganze Geheimnis«, stellte er fest. »Calish hat noch ein paar Scheiben abgeschnitten, während er hier war, um dich abzulenken, falls du die eine entdeckt hättest, die er mit gebracht hatte.«

»Wovon redest du überhaupt, Leonard? Wie kann dieses Stück Schlauch ...«

Mr. Strang setzte die Gummischeibe vorsichtig über den Knopf in der Mitte der Hörergabel. »Wie du siehst, verhindert die Scheibe, daß der Knopf hineingedrückt wird, so daß die Verbindung nicht unterbrochen wird«, sagte er dabei. »Sieh jetzt gut hin, Wes.«

Er legte den Hörer auf. Nun war die schwarze Gummischeibe fast unsichtbar. »Hörst du etwas?« fragte der Lehrer.

Aus dem Hörer drang die etwas metallische Frauenstimme: »Beim Ton des Zeitzeichens ist es genau sechzehn Uhr zweiunddreißig.«

»Verstehst du, worauf ich hinaus will, Wes?« erkundigte Mr. Strang sich. »Von dem Augenblick an, in dem Calish angeblich telefoniert hat, bis später, als ihr mit dem Angebot fertig wart, wobei du die Summe irgendwann laut genannt haben mußt, hat es eine Verbindung zwischen diesem Büro und der von Calish gewählten Nummer gegeben. Was hier geredet worden ist, ist direkt zu Halbert Automotive übertragen worden. Dort war das Angebot bis auf die endgültige Summe längst vorbereitet, so daß deine Konkurrenz ihr Angebot früher abgeben konnte, sobald sie deines kannte. Und sowie Calish wußte, daß sein Auftraggeber Halbert die nötigen Informationen hatte, war es für ihn bestimmt nicht sonderlich schwierig, das Schlauchstück wegzunehmen und die Verbindung zu unterbrechen, ohne sich dabei von dir erwischen zu lassen.«

»Aber warum?« Bilik wandte sich an den bleich gewordenen Kundendienstleiter, der den Kopf schüttelte, als wolle er alles leugnen. »Warum haben Sie das getan, J. J.?«

»Ich hab' überhaupt nichts getan«, behauptete Calish frech. »Gut, die Sache hätte sich vielleicht so machen lassen, wie dieser verrückte Lehrer behauptet. Aber er kann nicht beweisen, daß ich so was getan habe. Der Junge hat Halbert informiert, das steht fest!«

»Wes, du hast gesagt, Calish sei in letzter Zeit ziemlich nervös gewesen«, stellte Mr. Strang fest. »Ich vermute, daß er stark verschuldet ist und daß seine Gläubiger ihn bedrängen. Ein paar hundert Dollar von Halbert für diese Information haben ihm vermutlich aus der Patsche geholfen.«

»Das müßte sich leicht nachprüfen lassen«, meinte Bilik. »Aber J. J. hat recht, Leonard. Du hast mir bewiesen, daß er diesen Trick hätte anwenden können. Aber das ist keine Garantie dafür, daß er es wirklich getan hat. Im Augenblick weiß ich nicht, wer der Schuldige ist — Vince oder J. J.«

»Wer vertritt Calish als Kundendienstleiter?« erkundigte Mr. Strang sich. »Wer würde in der Werkstatt ans Telefon gehen?«

»Manny Bates. Ein guter Mechaniker.«

»Laß ihn bitte herkommen.«

Bilik wählte eine Nummer und verlangte Bates. Eine Minute später wurde an die Bürotür geklopft. Bates, ein kleiner dikker Mann, kam herein.

»Mr. Bates«, begann der Lehrer, »erinnern Sie sich bitte an vorgestern, als Calish in Mr. Biliks Büro war.«

»Ja?«

»Hat Calish Sie irgendwann angerufen, um Ihnen zu sagen, daß er und Mr. Bilik nicht gestört werden wollten?«

Der Mechaniker kratzte sich hinter dem Ohr und dachte angestrengt nach. »Tut mir leid, das weiß ich nicht mehr«, antwortete er schließlich. Vielleicht ja, vielleicht nein. Ich hab's vergessen.«

Mr. Strang machte ein enttäuschtes Gesicht, während Calish zufrieden lächelte. »Aha, Sie können also nichts beweisen!« stellte der Kundendienstleiter fest. »Ihr Wort steht gegen ...«

»Noch was, Mr. Bilik«, unterbrach Bates ihn mit quiekender Stimme.

»Was denn, Manny?«

»Mir ist eben eingefallen, daß ich ein paarmal versucht hab', Sie hier im Büro zu erreichen, während Sie das Angebot ausgearbeitet haben. Das hätt' ich vielleicht nicht tun sollen, aber die alte Mrs. Winter hat mir wegen einer Reparatur die Hölle heiß gemacht. Sie wollte Sie unbedingt persönlich sprechen, und ich hab' zwischen elf und ein Uhr mindestens zehnmal Ihre Nummer gewählt.«

»Und?«

»Nun, sie war immer besetzt. Ich meine, während Sie und Calish hier gearbeitet haben, muß der Hörer ständig abgenommen gewesen sein.«

Bilik sah von Mr. Strang zu Calish hinüber, der in seinem Sessel zusammenzuschrumpfen schien. Als Bilik den Lehrer ansprach, klang seine Stimme leise, fast traurig.

»Du kannst Vince Quale sagen, wie leid mir das alles tut ... nein, das sage ich ihm selbst. Er kann jederzeit wieder bei mir arbeiten, wenn er will.»

Der Gefangene

von
Edward Wellen

Er wischte geistesabwesend einige Staubkörner vom Schreibtisch, hatte jedoch keine rechte Lust, mit der Arbeit zu beginnen. Er sah sich in dem mit Papieren vollgestopften Büro um. Es gab so viel zu tun. Und er konnte nur hoffen, daß nichts schiefging.

Aber er gab einem Impuls nach und zog leise — jedes laute Geräusch alarmierte die Wachen — die unterste Schreibtischschublade auf, um sein Fernglas herauszunehmen. Das Fernglas verschaffte ihm manchmal etwas Abwechslung. Er blieb seitlich neben dem Fenster, wo ihn der Wachposten, den er draußen husten hörte, nicht sehen konnte, und suchte die Straße jenseits des hohen Eisentores mit dem Glas ab.

Im Morgengrauen herrschte auf den Straßen außerhalb seines Gefängnisses nur wenig Verkehr. Er stellte das Fernglas scharf ein. An der nächsten Kreuzung fuhr ein Zeitungsjunge freihändig auf seinem Rad. Er konnte ihn natürlich nicht hören, aber die Kopfhaltung verriet, daß der Junge ein Lied pfiff oder vor sich hinsummte.

Plötzlich schoß ein Wagen über die Kreuzung, bog mit quietschenden Reifen ab und schnitt dabei die Kurve. Das Auto erfaßte das Fahrrad und wirbelte den Jungen mit seiner Zeitungstasche durch die Luft. Dann hielt der Wagen am Straßenrand.

Er merkte sich instinktiv das Autokennzeichen.

Die Fahrertür ging auf. Der Fahrer stieg aus und marschierte mit dem übertriebenen Sicherheitsbedürfnis eines wirklich Betrunkenen zu der bewegungslosen Gestalt zurück, sah auf sie hinunter, war dann vor Entsetzen schlagartig nüchtern, stellte fest, daß ihn niemand beobachtet hatte, eilte zu seinem Wagen zurück und fuhr davon.

Während er das alles beobachtete, war sein Schock kaum geringer als der des Autofahrers. Er hätte den Wagen sofort erkennen müssen, denn er hatte ihn schon oft von diesem Fenster aus beobachtet, hatte Pardee mit offenem Kabriolettdach vorbeifahren sehen. Und jedesmal hatte er verkniffen gelächelt, weil er sich vorstellen konnte, was Pardee dachte, wenn er hier vorbeikam: *er* war *hinter* diesen weißgestrichenen Sandsteinmauern gefangen, und *Pardee* war *draußen* in Freiheit.

Er schrak schuldbewußt aus seiner Trance auf, als die Sirene eines Krankenwagens ertönte, näherkam, an der Unfallstelle erklang und dann verhallte. Als er den schrecklichen Sturz und das zertrümmerte Fahrrad gesehen hatte, war ihm instinktiv klar gewesen, daß dem Jungen nicht mehr zu helfen war. Trotzdem war er dem Schicksal dankbar, daß irgend jemand so rasch Hilfe angefordert hatte. Jetzt ging ihn die Sache nichts mehr an.

Er legte das Fernglas grimmig an seinen Platz zurück und begann zu arbeiten. Jemand mußte Pardee gesehen haben; schließlich hatte auch jemand den verunglückten Jungen gesehen und dafür gesorgt, daß ein Krankenwagen kam.

Aber diese Hoffnung trog. Im Lauf des Tages brachte er es fertig, die Nachrichten im Radio zu verfolgen, und erfuhr, daß die Polizei noch keinen Hinweis auf den flüchtigen Fahrer erhalten hatte.

Er überlegte angestrengt. Er durfte nicht länger schweigen. Aber er konnte auch nicht an die Öffentlichkeit treten. Verrückterweise wäre es für ihn leichter gewesen, Pardee zu identifizieren, wenn er den Mann nicht gekannt hätte.

Er durfte nicht vor Gericht auftreten und einem gerissenen Strafverteidiger die Möglichkeit geben, ihn ins Kreuzverhör zu nehmen und aus der Abneigung, die er und Pardee füreinander empfanden, Kapital zu schlagen.

»Ist es nicht eine Tatsache, daß Sie und Mr. Pardee seit Jahren bekanntermaßen verfeindet sind?«

Er würde diese Frage bejahen müssen. Das war die reine Wahrheit.

Aber selbst wenn er mit einer zu Protokoll gegebenen Aussage davonkam, würde ein gewisser Verdacht bleiben: der unwiderlegbare Verdacht, daß er sich bei der Erfüllung seiner Bürgerpflicht von privaten Rachegedanken hatte leiten lassen.

Er schüttelte deprimiert den Kopf und starrte die Wände an, die ihn gefangenhielten.

Dann hörte er draußen plötzlich Stimmen. Das hätte er fast vergessen. Heute war ein Besuchertag.

Die Menschen, die durchs Tor hereinkamen, lenkten ihn manchmal ab, aber diesmal erinnerte ihn das Stimmengemurmel nur um so stärker daran, wo er sich befand.

Er warf einen bedauernden Blick auf die Telefone auf seinem Schreibtisch. Ein Anruf bei der hiesigen Polizei würde genügen, aber er konnte von hier aus keine anonymen Telefongespräche führen.

Dann hatte er die Lösung. Er konnte wenigstens — und höchstens — einen anonymen Brief schreiben. Am besten gleich jetzt, solange er daran dachte und diese seltene Gelegenheit hatte.

Er trat wieder an den Schreibtisch, legte sich einen Bogen Briefpapier zurecht, griff nach einem Kugelschreiber und beugte sich über das Papier, um zu beginnen. Nein. Alles der Reihe nach. Er nahm das Lineal, bedeckte damit den Briefkopf, hielt den Rest des Bogens hoch und wollte ihn unterhalb des Briefkopfes abreißen. Aber dabei fiel Licht durchs Papier und ließ das Wasserzeichen hervortreten. Er wußte, daß er diesen Bogen nicht verwenden durfte. Alles Briefpapier auf dem Schreibtisch trug den verräterischen Aufdruck und das unverkennbare Wasserzeichen.

Der Notizblock. Er griff wieder nach dem Kugelschreiber und schrieb seine Mitteilung in nüchternen Druckbuchstaben nieder. Niemand würde jemals erfahren, daß sie von ihm stammte oder überhaupt aus diesem Gebäude kam.

Aber was nun? Selbst wenn er einen Briefumschlag ohne Aufdruck fand, würde es ihm noch niemals gelingen, den

Brief hinauszuschmuggeln. Er konnte wie zufällig einen Blick in die Poststelle werfen, aber wie sollte er den Umschlag unter die versandfertige Post schmuggeln, ohne daß jemand darauf aufmerksam wurde? Er stand unter ständiger Bewachung.

Darüber konnte er sich den Kopf zerbrechen, wenn es soweit war. Er durfte keine Zeit vergeuden. Er sah sich langsam um. Sein Blick fiel auf ein Buch in einem neutralen weißen Schutzumschlag. Er griff danach und zog es aus dem Regal. Das Buch hatte zwischen anderen eingeklemmt gestanden, so daß jetzt ein zweites mitrutschte und zu Boden fiel.

Als das andere Buch auf den Teppich polterte, durchzuckte ihn ein eisiger Schock. Er wartete erstarrt darauf, daß ein Wachposten hereinstürzen würde. Aber niemand kam. Er atmete langsam aus. Der Teppich war weich, und das Geräusch war ihm lauter vorgekommen, als es in Wirklichkeit gewesen war.

Er nahm den Schutzumschlag ab und breitete ihn auf dem Schreibtisch aus. Er fand einen gebrauchten Briefumschlag mit Zeitungsausschnitten, warf die Ausschnitte in den Papierkorb und riß den Umschlag vorsichtig auf. Dann benützte er den Briefumschlag als Vorlage, schnitt den Schutzumschlag danach zurecht und faltete ihn dem Muster entsprechend. Nun hatte er einen Umschlag ohne Aufdruck. Er steckte den Brief hinein, bestrich die Kanten mit einem Klebestift, drückte sie kurz gegeneinander und schrieb dann eine Adresse auf den improvisierten Briefumschlag — ebenfalls in Druckschrift.

Das alles hatte nur wenige Minuten gedauert. Die Besuchergruppe war nach rechts gegangen und bewunderte noch immer den Park. Jetzt kam es darauf an, den Wachposten unter dem Fenster abzulenken.

Er warf einen Kugelschreiber — die hatte er in Massen — in einen Busch auf der rechten Seite. Der wachsame Uniformierte drehte sich ruckartig um, griff gleichzeitig nach seiner Waffe und ging auf den Busch zu.

Rasch, solange ihm der Wachposten den Rücken zukehrte! Er ließ den Briefumschlag nach links aus dem Fenster segeln und beobachtete seinen Flug oder vielmehr seinen Fall mit angehaltenem Atem. Er sah den Umschlag wie einen flügellahm geschossenen Vogel schwanken und torkeln, bis ein letzter Windstoß ihn endlich ins Freie und bis in die Nähe des Fußweges trug.

Der Uniformierte kehrte kopfschüttelnd auf seinen Posten zurück.

Die Zeit verging. Der Himmel bewölkte sich. Dunkle Regenwolken zogen auf, und Regen würde die Anschrift auf dem Umschlag rasch unleserlich machen. Der Wachposten hatte ihn noch immer nicht bemerkt.

Aber der Mann, der ihn ablösen sollte, sah ihn und hob ihn auf.

»Was ist denn das?«

»Keine Ahnung. Laß sehen!«

Die beiden Uniformierten runzelten die Stirn, als sie die Anschrift lasen.

»Wahrscheinlich hat ihn ein Besucher hier hingelegt«, meinte der Abgelöste. »Am besten bringe ich ihn gleich rein.«

Er lächelte zufrieden, als er das hörte. Dann fiel ihm etwas ein. Er trat rasch vom Fenster zurück und ging wieder an seinen Schreibtisch.

Wenn er sich Mühe gab, konnte er den schwachen Abdruck seiner Mitteilung auf dem obersten Blatt des Notizblockes eben noch lesen:

Darunter stand ein Autokennzeichen.

Er riß hastig die oberen fünf, sechs Blätter ab, knüllte sie zusammen, zündete sie mit einem Streichholz an und ließ sie im Aschenbecher verbrennen.

Gerade noch rechtzeitig. Als das letzte Stück Papier verkohlt war, summte die Gegensprechanlage auf seinem Schreibtisch. Er drückte auf einen Knopf.

»Ja?« fragte er mit ruhiger Stimme.

»Entschuldigen Sie die Störung, Mr. Präsident, aber es handelt sich um eine politisch knifflige Sache, von der wir eben erfahren haben ...«

Politisch knifflig, ja! Sie hatten das Autokennzeichen rasch überprüft. Aber niemand – nicht einmal Senator Pardee – konnte ihn tadeln, wenn er einen anonymen Brief an den Polizeichef des District of Columbia weiterleitete.

Der perfekte Mord

von
Patricia McGerr

Mein Bruder Joe war von Anfang an ein Taugenichts. Als wir noch in die Schule gingen, war er die treibende Kraft hinter allen unseren Streichen – obwohl ich zwei Jahre älter war. Wir fingen damit an, daß wir im Laden an der Ecke Süßigkeiten und Zigaretten klauten, und spezialisierten uns dann auf Socken, Krawatten und Manschettenknöpfe. Als ich 18 war, wurden wir bei einer Spazierfahrt in einem gestohlenen Wagen erwischt und bekamen sechs Monate mit Bewährung. Das schreckte mich von weiteren Straftaten ab, aber Joe ließ sich nicht so leicht beeindrucken.

Er wurde erneut verhaftet, weil er im Sekretariat der Schule eine Schreibmaschine und einen Tischrechner gestohlen hatte. Dafür wanderte er ein Jahr in die Besserungsanstalt. Als er wieder herauskam, hatte er alles gelernt, was er als Gangster brauchte. Ich versuchte, mich von ihm fernzuhalten, aber er kam alle paar Wochen in das Restaurant, in dem ich nachts Geschäftsführer war, und prahlte mit seinem Geld.

»Willst du dein Leben lang arm bleiben?« fragte er spöttisch. »Macht's dir etwa Spaß, für andere Leute Nickels und Dimes zu kassieren?«

»Ich will nicht hinter Gitter«, antwortete ich. »Macht's dir etwa Spaß, eingesperrt zu werden?«

»Damals war ich noch zu grün«, erklärte er mir ungerührt. »Aber ich hab' inzwischen viel dazugelernt. Mich erwischen sie nicht mehr! Und ich könnte dafür sorgen, daß du bei ein paar lohnenden Sachen mitmachen kannst.«

»Danke, damit will ich nichts zu tun haben«, wehrte ich ab. »Ich will nicht einmal wissen, woher du dein Geld hast.«

»Du warst schon immer ein Feigling, Paul.« Er machte eine wegwerfende Handbewegung. »Okay, wie du willst. Wenn ich der große Gangsterboß bin, kannst du vorgeben, mich nicht zu kennen.«

Das Dumme war nur unsere große Familienähnlichkeit. Wir waren beide weizenblond und hatten lange schmale Gesichter mit der typischen ›Garrison-Nase‹, wie meine Mutter sie stets genannt hatte. Der Boß kam eines Abends vorbei, als Joe eben das Restaurant verließ, und starrte ihn verblüfft an. Als er den teuren Anzug und die Schuhe sah, mußte er einen Augenblick lang gefürchtet haben, ich hätte in die Kasse gegriffen. Dann merkte er, daß er sich getäuscht hatte, und atmete auf.

»Der Mann, der eben hinausgegangen ist, muß Ihr Bruder sein«, stellte er fest.

»Ja.«

»Dann haben Sie also einen reichen Verwandten. Das kann nie schaden.«

Danach behandelte er mich eine Zeitlang mit etwas mehr Respekt. Das war in Ordnung, bis Joe mit einem ganzen Schrank voll Heroin geschnappt wurde, so daß sein Foto auf den Titelseiten der Zeitungen erschien. Dann verlor ich meinen Job.

»Ich weiß natürlich, daß niemand etwas für seine Familie kann«, entschuldigte sich der Boß. »Aber das Foto sieht Ihnen so verdammt ähnlich, daß die Gäste glauben, bei mir arbeite ein stadtbekannter Dealer. Sie verstehen doch, was für ein Problem das für mich ist, Garrison?«

Ich verstand sein Problem, aber ich sah auch meines. Der Prozeß erregte ziemliches Aufsehen, und wenn ich in einen Bus stieg, starrten die Leute mich an und tuschelten miteinander. Ich ging damals mit Lucille, und es war ihre Idee, daß wir sofort heiraten und wegziehen sollten. Ich hatte eigentlich nicht vorgehabt, früh zu heiraten, aber mir gefiel der Gedanke, irgendwo neu anfangen zu können.

Wir erwarben also eine Heiratslizenz, erledigten die nötigen Formalitäten, ließen uns von einem Richter trauen und fuhren 800 Meilen weit in eine größere Stadt in einem anderen Staat, wo der Name Garrison und die Garrison-Nase unbekannt waren. Zwei Wochen später wurde Joe verurteilt und bekam zehn Jahre Gefängnis. Ich sah ihn erst nach sieben Jahren wieder.

Ich saß im Eßzimmer unseres Hauses in der Juniper Street — an einem Samstagabend gegen zehn Uhr. Lucille war früh ins Bett gegangen; sie hustete und nieste und klagte über Halsschmerzen. Das Geschirr war in der Küche im Ausguß aufgestapelt, und ich hatte auf dem Tisch meinen Papierkram ausgebreitet — Rechnungen, Steuervordrucke, Mahnschreiben. Das ganze war ein trübseliges Bild, dessen Umrisse sich bereits abgezeichnet hatten, als wir dieses Haus vor zwei Jahren gekauft hatten.

Lucille hatte gesellschaftlichen Ehrgeiz, den sie dadurch zu befriedigen versuchte, daß wir in eine bessere Wohngegend zogen. Und das bedeutete, daß wir neue Möbel kaufen mußten und sie teuere Kleider brauchte. Aber sie konnte mit unseren Nachbarn keine Freundschaft schließen, und ich hatte davon nur Schulden, einen ganzen Schuldenberg. Jetzt war die Hypothekentilgung überfällig, und zwei Geschäfte hatten unsere Kundenkreditkonten einem Inkassobüro übergeben. Ich mußte mich auf Zahlungsbefehle, Offenbarungseid und Zwangsvollstreckung gefaßt machen.

Aber das war noch nicht das Schlimmste. Ich arbeitete als Beauftragter einer großen Hausverwaltung, für die ich Mieten kassierte. Manche Mieter zahlten bar, und wenn ich wirklich abgebrannt war, verbrauchte ich dieses Geld für mich und ersetzte es aus den Mieteinnahmen des nächsten Monats. Bisher war es mir gelungen, die alten Löcher zu stopfen, indem ich neue aufriß. Aber demnächst sollte eine Buchprüfung stattfinden, und mir fehlten fast tausend Dollar. Ich würde meinen Job verlieren und wahrscheinlich im Gefängnis landen.

Von Lucille hatte ich kein Mitleid zu erwarten, das stand fest. Ihrer Überzeugung nach war an dieser Krise nicht ihre Verschwendungssucht, sondern allein meine Unfähigkeit schuld, genug Geld für einen angemessenen Lebensstil zu verdienen. Deshalb kritzelte ich neue Zahlenreihen hin, addierte, subtrahierte und sah nirgends einen Lichtblick. Ich starrte die Zahlen trübselig an, als es klingelte. Ich gab mir einen Ruck, stand auf und ging zur Tür. Draußen stand Joe.

»Wie . . . was . . .«, stotterte ich vor Schreck.

»Unkraut vergeht nicht.« Er grinste unbekümmert. »Warum starrst du mich so an? Willst du mich nicht reinbitten?«

»Doch, natürlich.« Ich trat einen Schritt zurück, um ihn hereinzulassen, und schloß die Tür hinter ihm. »Wie kommt das? Du bist doch nicht etwa ausgebrochen?«

»Nein, nein. Ich bin wegen guter Führung vorzeitig entlassen worden.«

»Warum hast du mir das nicht geschrieben?« Wir hatten einen unregelmäßigen Briefwechsel geführt. Sein letzter Brief war vor einigen Monaten gekommen.

»Ich liebe Überraschungen.« Er folgte mir ins Eßzimmer und betrachtete die Papiere auf dem Tisch. »Na, anscheinend versuchst du's noch immer auf die mühsame Art.«

»Falls du Geld brauchst«, begann ich abwehrend, »kommst du zu einem ungünstigen Zeitpunkt. Ich würde dir gern helfen, aber ich . . .«

»Mach' dir nur keine Sorgen um den kleinen Joe.« Er griff in die Innentasche seiner Jacke und holte einen Packen Geldscheine heraus. Obenauf lag ein Fünfzigdollarschein. »Ums ganz ehrlich zu sagen, wollte ich dich eigentlich anpumpen, aber ich hab' auf dem Weg hierher Glück gehabt. Jetzt bin ich wieder flüssig.«

»Na, vielleicht kannst du mir einen kleinen Kredit geben.« Ich bemühte mich, das scherzhaft klingen zu lassen.

»Tut mir leid, das Geld brauche ich selbst.« Er steckte es wieder ein.

»Wohin bist du unterwegs?« erkundigte ich mich.

»Nach New York. Dort habe ich Freunde, die mir wieder auf die Beine helfen können. Aber sie sind erst ab Montagabend zu erreichen, deshalb wollte ich die Gelegenheit zu einer kleinen Wiedersehensfeier nützen.«

»Wie hast du das Haus gefunden?«

»Ganz einfach. Ich hab' mir auf dem Bahnhof den Stadtplan angesehen und bin mit einem Bus bis ganz in die Nähe gefahren. Scheint eine nette Gegend zu sein. Du lebst nicht schlecht, wie man sieht.«

»Zu gut«, gab ich zu. »Das kann ich mir eigentlich überhaupt nicht leisten. Aber du bist nicht hier, um dir etwas vorjammern zu lassen. Hast du Hunger?«

»Danke, ich hab' unterwegs gegessen. Aber ein Scotch wäre nicht übel. Mit ganz wenig Wasser.«

»Tut mir leid, aber ich habe keinen im Haus. Lucille ist gegen ...«

In diesem Augenblick erschien Lucille an der Tür, als sei ihr Name ein Stichwort gewesen. Sie trug einen rosa Morgenrock über ihrem Nachthemd.

»Die Klingel hat mich geweckt«, beschwerte sie sich. »Was ist hier los?« Sie kniff die Augen zusammen, während sie Joe betrachtete. »Du mußt Pauls Bruder sein. Wann bist du aus dem Gefängnis entlassen worden?«

»Freut mich, dich kennenzulernen, Schwester«, sagte er spöttisch. »Du verstehst es wirklich, einem das Gefühl zu vermitteln, man sei willkommen.«

»Bilde dir ja nicht ein, daß du dich hier rumtreiben kannst«, fuhr sie fort. »Du hast uns schon in einer Stadt unmöglich gemacht. Das schaffst du nicht noch mal.«

»Immer mit der Ruhe, Schwester. Ich bin nur auf der Durchreise.«

»Er will Geld, nehme ich an.« Ihr Zorn galt jetzt mir. »Er bekommt aber keines! Wenn du ihm auch nur einen einzigen Cent gibst ...«

»Verdammt noch mal, ich hab' praktisch keinen Cent.« Ich deutete auf den Tisch. »Ich hab' nur Rechnungen, aber kein Geld, um sie zu bezahlen.«

»Brüll mich nicht so an, Paul! Ich bin schließlich krank. Es ist schon schlimm genug, daß du mit einem Sträfling verwandt bist – aber mußt du ihn auch noch in mein Haus bringen? Ich will, daß du ihn wegschickst, verstanden? Auf der Stelle!«

Sie machte auf dem Absatz kehrt und ging wieder nach oben. Joe sah ihr nach, und sein spöttischer Gesichtsausdruck machte mir klar, wie rasch aus der anziehend molligen Lucille eine häßliche Dicke geworden war. Ohne Make-up und mit ungekämmten Haaren sah sie besonders schlimm aus.

»Ein wirklich charmantes Frauchen«, stellte Joe fest. »In deiner Lage würde ich eine hohe Lebensversicherung abschließen. Auf ihren Namen.«

»Das habe ich bereits getan. Wir sind beide versichert.«

»Dann würde ich etwas unternehmen, um sie bald kassieren zu können.«

»Das ist geschmacklos, Joe«, wehrte ich ab.

»Findest du? Okay, großer Bruder, dann hebe ich mir meine guten Ratschläge für Leute auf, die schlau genug sind, sie zu befolgen. Wie steht's also damit? Schmeißt du mich raus?«

»Du kannst natürlich hier übernachten. Aber Lucille braucht nichts davon zu merken.«

Wir unterhielten uns noch eine gute Stunde lang. Danach machte ich Joe die Couch im Fernsehzimmer zurecht und ging nach oben. Lucille hörte mich kommen, machte Licht und fuhr mich an, als ich ins Schlafzimmer kam.

»Ist er weg?« fauchte sie.

»Er ist mein Bruder, Lu. Ich kann ihn nicht nachts auf die Straße jagen.«

»Ich bin deine Frau, aber das hindert dich nicht daran, mich rücksichtslos zu behandeln. Weißt du, wie hoch meine Temperatur ist? Achtunddreißigkommaneun! Ich habe Fieber und Schüttelfrost und Kopfschmerzen. Ich kann morgen nicht ins Konzert gehen.«

»Oh, das ist schade.«

»Freu dich nicht zu früh! Du mußt trotzdem hin. Du kannst mir wenigstens ein Programm mitbringen und mir erzählen, wie die Musik war.«

»Gut, wie du willst«, stimmte ich zu. »Vielleicht kann ich deine Eintrittskarte zurückgeben.«

Fünf Dollar, dachte ich, für einen Topf, in dem tausend fehlen. Das Konzert war das vierte einer Reihe von Abonnementskonzerten, in die Lucille unbedingt hatte gehen wollen. Wahrscheinlich langweilte sie sich im Konzertsaal so sehr wie ich, aber Kultur war eine der Sprossen auf ihrer Gesellschaftsleiter.

Ich konnte lange nicht einschlafen. Joes Bemerkung hatte mich an Lucilles Lebensversicherung erinnert, und ich mußte ständig daran denken. 10 000 Dollar. Mehr als genug, um alle Schulden auf einen Schlag zu begleichen. Vielleicht hatte sie etwas Schlimmeres als eine gewöhnliche Erkältung. Vielleicht würde das Fieber noch höher werden; vielleicht hatte sie eine beginnende Lungenentzündung. Ich überlegte, ob ich die Fenster öffnen sollte, damit der Märzwind das Seine tun konnte. Aber das waren alles nur Wunschträume. Lucille hatte eine Roßnatur. Sie würde mich überleben und meine Lebensversicherung kassieren – nicht umgekehrt.

Aber dieser Gedanke ließ mich nicht mehr los. Bis ich bei Tagesanbruch einschlief, hatte ich mir einen genauen Plan zurechtgelegt. Die Ähnlichkeit zwischen Joe und mir hatte sich bisher stets als Nachteil erwiesen. Jetzt konnte ich sie endlich zu meinem Vorteil ausnützen.

Morgens hatten Lucilles Symptome sich um einen bellenden Husten vermehrt. Ich brachte ihr das Frühstück ans Bett und erzählte dann Joe meinen Plan. Er war sofort dafür.

»Du darfst dich tagsüber nicht blicken lassen«, erklärte ich ihm. »Abends sitzt du bis zur Pause auf meinem Platz im Konzertsaal. Danach ist es mir nur recht, wenn du so schnell wie möglich aus der Stadt verschwindest.«

»Einverstanden«, stimmte er zu. »Ich habe selbst allen Anlaß, mich tagsüber nicht in der Öffentlichkeit blicken zu lassen.«

Ich verbrachte den Tag damit, Lucille zu bedienen und meinen Plan auf mögliche Fehlerquellen hin abzusuchen.

»Fremde halten mich bestimmt für dich«, sagte Joe. »Aber was ist, wenn einer eurer Sitznachbarn versucht, ein Gespräch mit mir anzufangen?«

»Das tun sie garantiert nicht. Zum Gang hin sitzen zwei alte Schachteln, die nicht einmal miteinander reden. Und die

aus der Reihe
Heyne-Jugend-Taschenbücher

Zum Beispiel der von Pädagogen empfohlene Jugend-Krimi „Kalle, Fitz und Do in der Schloßruine“ (Band Nr. 23) wird Jungen und Mädchen ab 10 Jahren in seinen Bann ziehen.
Oder die Detektivgeschichte „Fips, Mumps und Köpfchen und der Mann mit der blauen Weste“ (Band Nr. 13) des mehrfach ausgezeichneten Jugendbuchautors Adolf Himmel und der zweite Detektiv-Roman vom selben Autor „Fips, Mumps und Köpfchen und der Perlendieb“ begeistern Jungen und Mädchen ab 10 (Band Nr. 29).
In „Nummernschloß 7-1-7“ wird fieberhaft nach einem gestohlenen Fahrrad gesucht. (Band Nr. 18, für Jungen und Mädchen ab 10.)

Wilhelm Heyne Verlag 8 München 2

Nachbarn auf der anderen Seite haben uns noch nie eines Blickes gewürdigt. Du brauchst bloß stillzusitzen und zuzuhören.«

»Aber was ist, wenn die Polizei von dir wissen will, was gespielt worden ist? Von mir kannst du keine Konzertkritik erwarten.«

»Natürlich nicht! Alle meine Freunde wissen, daß ich Bach nicht von Bacharach unterscheiden kann und nur in diese Konzerte gehe, um Lucille einen Gefallen zu tun. Falls der Dirigent am Pult zusammenbricht oder das Cello Feuer fängt, mußt du mir davon erzählen. Aber ansonsten kann ich behaupten, die ganze Zeit gedöst zu haben.«

Joe verbrachte eine Stunde damit, seine Fingerabdrücke abzuwischen und sich davon zu überzeugen, daß nichts verriet, daß er bei uns gewesen war. Wenn Lucille nicht aß oder schlief oder mich herumkommandierte, verbrachte sie die Zeit am Telefon und schwatzte mit Freundinnen auf der anderen Seite der Stadt, wo wir früher gewohnt hatten. Als ich mich umzog, um ins Konzert zu gehen, fiel mir eine gefährliche Möglichkeit ein.

»Äh, Lu ...«, begann ich vorsichtig. »Du hast doch heute mit verschiedenen Leuten gesprochen — hast du ihnen auch erzählt, daß Joe hier ist?«

»Glaubst du, daß ein Schwager, der eben aus dem Gefängnis kommt, ein besonderes Ruhmesblatt ist?« Sie lachte heiser. »Ich habe ihn überhaupt noch nie erwähnt. Meine Freundinnen wissen gar nicht, daß du einen Bruder hast.«

Ich zog beruhigt meine grünkarierte Sportjacke an.

»Du bist doch nicht zum Baseballspiel unterwegs!« fuhr sie mich an. »Das ist kein Aufzug für ein Konzert. Damit fällst du überall auf.«

Genau deshalb hatte ich mich für diese Jacke entschieden. Ich knöpfte sie zu, sah nach, ob meine Krawatte saß und hielt den Mund.

Joe und ich verließen das Haus um 19 Uhr 30. Die Fahrt zum Civic Auditorium dauerte zwanzig Minuten, und ich hatte einen sehr genauen Zeitplan ausgearbeitet. Um 19 Uhr 50 stieg ich aus dem Wagen; Joe setzte sich ans Steuer und fuhr einmal um den Block. Ich ging geradewegs zur Abendkasse und erzählte dem Kassierer die traurige Geschichte von meiner kranken Frau. Er ließ mich meinen Namen aufschreiben, befestigte den Zettel mit einer Büroklammer an Lucilles Karte und versicherte mir, ich bekäme das Geld zurück, falls jemand sie kaufe. Dann ging ich wieder hinaus und wartete, bis Joe mich abholte.

Wir tauschten in einer halbdunklen Seitenstraße die Jacken: ich bekam Joes braune Samtjacke, und er zog meine grünkarierte Sportjacke an. Danach ging Joe zu Fuß zum Konzertsaal zurück, während ich nach Hause fuhr. Ich parkte zwei Straßen vorher und ging von dort aus weiter. Das Haus war dunkel; nur oben im Schlafzimmer brannte Licht. Ich betrat unser Haus durch die Garage, die ich offengelassen hatte. Es war genau 20 Uhr 22.

Klappt wunderbar! dachte ich und ging in der Küche ans Telefon. Im Lichtschein meiner kleinen Taschenlampe wählte ich die Nummer einer unserer ehemaligen Nachbarinnen.

»Janet, hier ist Paul Garrison«, erklärte ich ihr. »Ich bin im Civic Auditorium, und das Konzert fängt gleich an. Aber Lucille liegt mit einer scheußlichen Erkältung zu Hause im Bett und ist ziemlich deprimiert. Vielleicht würde es sie aufheitern, wenn du bei ihr anrufen würdest.«

»Wie nett von dir, daß du daran denkst, nachdem du sie alleingelassen hast«, antwortete sie spitz. Sie hatte keine allzu hohe Meinung von mir, weil Lucille sich ständig über mich beschwerte. »Warum bist du nicht zu Hause geblieben, wenn du dir solche Sorgen um sie machst?«

»Das wollte ich eigentlich, aber sie hat darauf bestanden, daß ich in das Konzert gehe. Aber ich habe nicht angerufen, um mich mit dir zu streiten. Ich habe nur gedacht, sie würde sich vielleicht freuen, von einer alten Freundin zu hören. Falls dir das zuviel ist . . .«

»Natürlich rufe ich sie an!« unterbrach sie mich. »Amüsier' dich nur!«

Ich legte den Hörer auf und zog unten an der Treppe leise

die Schuhe aus. Dabei klingelte das Telefon. Die gute alte Janet hielt sich genau an meinen Plan. Bisher war ich so damit beschäftigt gewesen, alles zu planen, daß ich mir kaum Gedanken über den Zweck des Ganzen gemacht hatte. Jetzt wurde mir plötzlich klar, was ich vorhatte: Ich wollte hinaufgehen und meine Frau ermorden.

Eine verrückte Idee! Ein wahrer Alptraum. Das konnte ich nicht! Oben nahm Lucille den Hörer ab. Ich schlich die Treppe hinauf, bis ich ihre Stimme, die heute weinerlicher als sonst klang, verstehen konnte.

»Richtig, Janet, er ist weggefahren und hat mich alleinlassen. Ihm ist es ganz gleich, ob ich krank bin. Dabei geht's mir so schlecht, daß ich kaum den Kopf heben kann! . . . Für ihn gibt es nur eines: sein eigenes Vergnügen . . . Oh, das ist noch längst nicht alles! Wenn du wüßtest, was ich Tag für Tag auszustehen habe . . .«

Dieses Gejammer und ihr Tonfall bestärkten mich in meinem Entschluß. Ich bewegte mich rascher, bis ich vor der Schlafzimmertür stand. Dort lehnte ich mich an die Wand, tastete mit meiner behandschuhten Linken um den Türrahmen nach dem Lichtschalter und knipste das Licht aus.

»Eben ist das Licht ausgegangen«, berichtete Lucille ruhig. »Wahrscheinlich ist die Birne durchgebrannt. Janet, ich höre etwas . . . jemand . . . ein Einbrecher! . . . Mein Gott, er überfällt mich! Hilfe, Janet . . . schnell . . .«

Dann schlossen meine Finger sich um ihren Hals. Aus dem Telefonhörer, der ihr aus der Hand geglitten war, kam ein Quietschen, als Janet sich ängstlich erkundigte, was denn los sei. Ich drückte fest zu, bis Lucilles Körper unter meinen Händen schlaff wurde. Dann ließ ich sie aufs Bett fallen, richtete mich auf und brauchte einige Sekunden, um zur Besinnung zu kommen.

Meine Zähne klapperten. Du mußt verschwinden! sagte ich mir. Du muß verschwinden, bevor Janet die Polizei herschickt. Aber ich konnte mich nicht bewegen, konnte keinen Schritt machen. Schließlich holte ich tief Luft, wandte mich ab und hastete aus dem Raum.

Ich war schon in der Garage, als mir einfiel, daß die Schuhe noch an der Treppe standen. Ich lief zurück, zog sie an und stürmte aus dem Haus, um zu meinem Wagen zu gelangen. Aber als ich am Steuer saß, zitterte meine Hand so heftig, daß ich Mühe hatte, den Zündschlüssel ins Schloß zu stecken.

Immer mit der Ruhe! ermahnte ich mich. Janet muß erst anrufen und die Polizei auf Trab bringen. Das nächste Revier ist eine Meile von hier entfernt. Du brauchst nur zwei Straßen weit zu fahren und im Verkehr auf dem Boulevard unterzutauchen.

Aber was mir vor der Tat ungefährlich erschienen war, war in Wirklichkeit voller Fallstricke. Vielleicht war irgendwo in der Nähe ein Funkstreifenwagen unterwegs, dessen Besatzung alarmiert wurde und mich stellte, bevor ich weit gekommen war. Auch als ich schon auf dem Boulevard war, wo Hunderte von Autos fuhren, bildete ich mir weitere Gefahren ein. Was war, wenn ich einen Motorschaden, einen Unfall oder eine Reifenpanne hatte. Wie mein Herz klopfte, konnte ich einen Herzanfall bekommen. Der geringste Zufall konnte verhindern, daß ich rechtzeitig zurückkam — und damit war mein Alibi zerstört.

Ich fuhr ungewöhnlich vorsichtig, blieb unter der zulässigen Höchstgeschwindigkeit und hielt an jeder Ampel, die auch nur Gelb zeigte. Obwohl ich am liebsten das Gaspedal durchgetreten hätte, durfte ich keinen Strafzettel riskieren. Ich hatte das Gefühl, mich vor Stunden von Joe verabschiedet zu haben, aber als ich auf dem Parkplatz hinter dem Civic Auditorium ankam, zeigte meine Uhr erst 21 Uhr 10.

Der Parkplatz war unbeleuchtet und unbewacht. Ich hielt in der hintersten Ecke, wo ich mit Joe verabredet war, und wartete dort auf ihn. Aus dem Konzertsaal drang leise Musik. Was war, wenn ich mich mit der Zeit verschätzt hatte? Die erste Hälfte des heutigen Programms konnte ungewöhnlich kurz gewesen sein. Vielleicht war die Pause schon vorbei. Janet wußte, wo ich war. Wenn sie die Polizei hierher schickte, fand sie Joe auf meinem Platz und mich hier draußen. Während dieser unbestimmbar langen Wartezeit gingen mir alle Fehler, die ich gemacht haben konnte, und alle Möglichkeiten, daß etwas schiefging, durch den Kopf.

Die Musik wurde lauter, schwoll zu einem Krescendo an und brach ab. Das Publikum applaudierte. Die Lichter über den Seitenausgängen flammten auf, dann kamen die ersten Raucher ins Freie. Manche bildeten kleine Gruppen, andere rauchten allein. Für Joe war es eine Kleinigkeit, im Halbdunkel unterzutauchen und zu mir zu kommen, damit wir die Jacken tauschen konnten.

»Alles klar?« erkundigte er sich.

Ich nickte wortlos. Ich wollte nicht darüber reden.

»Über die Musik gibt's nicht viel zu erzählen — außer daß sie laut war. Ich bin einer der alten Schachteln auf den Fuß getreten, als ich an meinen Platz gegangen bin. Der mit dem Blumenhut. Sie weiß jedenfalls, daß du da warst. Und vor dem Konzert habe ich an der Bar im Foyer einen Scotch getrunken. Ich hab' mit einem Fünfziger gezahlt und praktisch alles Wechselgeld des Mädchens bekommen.«

»Was hast du getan?« Ich starrte ihn entsetzt an.

»Ich wollte den Eindruck machen, um dir eine weitere gute Zeugin zu verschaffen«, erklärte er mir. »Außerdem hab' ich Kleingeld gebraucht.«

»Verdammt noch mal, warum hast du dich nicht an die Anweisungen gehalten und ...« Ich sprach nicht weiter. Damit vergeudete ich nur Zeit. »Hast du noch was angestellt, mit jemand gesprochen oder sonstwie Aufmerksamkeit erregt?«

»Nein. Alles andere ist genau nach Plan abgelaufen.«

Das Licht über dem Eingang blinkte zweimal, um das Ende der Pause anzuzeigen. Joe blieb auf dem Parkplatz und bewegte sich langsam durch die Dunkelheit in Richtung Straße. Er hatte genügend Zeit, um zum Omnibusbahnhof zu gehen und einen nach Osten fahrenden Bus zu erwischen. Ich schlenderte zu den Rauchern hinüber und schloß mich ihnen an, als sie in den Konzertsaal zurückkehrten.

Die am Gang sitzende Dame zog ihre Füße an und warf mir einen aufgebrachten Blick zu, als ich mich an ihr vorbeidrängte. Sie hatte einen Hut mit Tüllrosen auf dem Kopf.

Joe mußte diesen Blumenhut gemeint haben. Ich lächelte sie entschuldigend an, aber sie reagierte nicht darauf. Ich griff nach dem Programm, das Joe auf dem Sitz liegengelassen hatte, und nahm meinen Platz ein. Der Sitznachbar auf der anderen Seite ignorierte mich wie gewöhnlich. Ich schlug das Programmheft auf und starrte Mozarts Geburts- und Sterbedatum an, während das Orchester aufs Podium kam.

Ich hörte die zweite Hälfte des Konzerts kaum besser als die erste, denn ich nahm nur etwas hundertprozentig wahr: Lucilles leeren Sitz. Ich war in Gedanken in der Juniper Street; ich versuchte mir auszumalen, was dort geschah. War die Polizei schon gekommen? Was hatte sie bisher getan?

Sobald der Applaus nach dem letzten Stück einsetzte, drängte ich mich an der Dame mit dem Rosenhut und ihrer Begleiterin vorbei. Ich brauchte die Zugaben nicht abzuwarten. Wer wie ich nichts von Musik verstand und noch dazu eine kranke Frau zu Hause hatte, gehörte logischerweise zu den ersten, die den Saal verließen.

Auf der Heimfahrt machte ich mich auf das gefaßt, was mich zu Hause erwarten würde, und probte zum letztenmal meine Rolle. Überall im Haus brannte Licht. Zwei Wagen parkten auf der Straße, ein dritter stand in der Einfahrt. Da ich nicht in die Garage konnte, stellte ich mein Auto hinter den anderen ab, setzte eine hoffentlich glaubhaft verwirrte Miene auf und ging zur Haustür. Dort vertrat mir ein Uniformierter den Weg.

»Was ist passiert?« fragte ich ihn. »Wo ist meine Frau?«

»Sind Sie Mr. Garrison?«

Ich nickte wortlos.

»Leutnant!« Er trat an die Treppe und rief nach oben. »Der Ehemann ist hier. Wollen Sie mit ihm sprechen?«

»Er soll unten bleiben. Ich komme gleich.«

Das Gespräch mit Leutnant Thurmond war harmloser, als ich befürchtet hatte. Er brachte mir die schlimme Nachricht schonend bei, und ich reagierte erschrocken, bekümmert und mit dem starken Wunsch nach Rache. Er wollte wissen, wo ich den Abend verbracht hatte, und ich erzählte ihm von dem

Konzert. Zu meiner Erleichterung konzentrierte er sich auf die Tatsache, daß ich wegen meines Jobs öfters größere Geldbeträge im Haus hatte – auch übers Wochenende.

»Ich kassiere samstags viele Mieten«, erklärte ich ihm, »weil dann die meisten Leute zu Hause anzutreffen sind. Und ich kann das Geld erst montags abliefern.«

»Wie viele Leute wissen das?«

»Natürlich alle in unserem Büro. Und die Familien, bei denen ich kassiere. Und alle, denen sie davon erzählen.« Ich zog den Kreis der Verdächtigen absichtlich weit.

»Sie gehen also sonntags in diese Konzerte. Wissen das andere Leute auch?«

»Es ist kein Geheimnis.«

»Jemand könnte sich also ausgerechnet haben, das Haus stehe ein paar Stunden leer, so daß er ungestört nach dem Geld suchen könne. Als er im Schlafzimmer auf Ihre Frau gestoßen ist, muß er die Nerven verloren haben.«

»So muß es wohl gewesen sein«, stimmte ich zu. »Ich hätte zu Hause bei Lucille bleiben sollen. Ich hätte mich nicht von ihr ins Konzert schicken lassen sollen.«

»Sind Sie gut miteinander ausgekommen?« Das klang auffällig beiläufig. Keine Probleme?«

»Oh, wir haben unsere guten und schlechten Zeiten gehabt.« Das sollte er lieber gleich von mir erfahren. »Die üblichen kleinen Schwierigkeiten.«

»Aha. Ich will Ihnen ganz offen sagen, wie die Dinge stehen, Mr. Garrison. Wir müssen Ihre Aussage überprüfen. Aber wir wissen, daß Ihre Frau kurz vor halb neun telefoniert hat, als sie überfallen wurde. Wenn wir also Zeugen finden, die bestätigen können, daß Sie um diese Zeit im Konzertsaal waren, haben Sie ein einwandfreies Alibi.«

Danach herrschte noch lange ein ständiges Kommen und Gehen in meinem Haus – Polizisten, Fingerabdruckexperten, Fotografen und einige Reporter. Aber schließlich wurde die Leiche abtransportiert, und ich blieb allein zurück. Ich bildete mir ein, das Schlimmste hinter mir zu haben, als sich die Tür hinter dem letzten Uniformierten schloß. Die Polizei war der

Überzeugung, als Täter komme nur ein Einbrecher in Frage, und würde diese Spur weiterverfolgen, bis der Mord schließlich als weiterer unlösbarer Fall zu den Akten gelegt wurde.

Am nächsten Nachmittag kam Thurmond jedoch mit geänderter Einstellung zurück. Die Sympathie für den trauernden Gatten war Härte gegenüber dem Hauptverdächtigen gewichen. Der Grund dafür wurde mir bald klar: Thurmond hatte sich mit meinen finanziellen Verhältnissen beschäftigt.

»Sie haben erhebliche Rückstände bei Ihrer Firma, Garrison«, hielt er mir vor. »Die Listen zeigen, daß Sie neunhundertsechzig Dollar mehr kassiert als abgeliefert haben.«

»Ich bin etwas im Rückstand«, gab ich zu.

»Sie sind außerdem Steuern, Ihre Hypothek und etliche andere Kleinigkeiten schuldig.«

»In den letzten Monaten hab' ich's nicht ganz leicht gehabt, Leutnant.«

»Aber die Zukunft sieht rosiger aus, was? Mit den zehn Mille, die Sie nach dem Tod Ihrer Frau kassieren können, sind Sie alle Sorgen los.«

»Was wollen Sie damit andeuten?«

»Nichts, gar nichts. Ich stelle nur eine Tatsache fest. Der Tod Ihrer Frau ist für Sie ein Glücksfall. Und noch etwas: Die Freundinnen Ihrer Frau haben ausgesagt, Ihre Ehe sei zerrüttet gewesen.«

»Und wenn schon?« fragte ich herausfordernd. »Sie wissen, wann meine Frau ermordet worden ist und daß ich um diese Zeit meilenweit vom Tatort entfernt war. Oder sind Sie so eifrig hinter Gerüchten hergewesen, daß Sie keine Zeit gehabt haben, meine Aussage zu überprüfen?«

»Doch, doch, das haben wir getan. Wir haben uns von der Konzertdirektion die Namen Ihrer Sitznachbarn geben lassen und sie vernommen. Die Leute hinter Ihnen können sich nicht mehr daran erinnern, ob Ihr Platz besetzt war. Der Mann rechts neben Ihnen hat ausgesagt, der Sitz neben ihm sei leer gewesen.«

»Das war Lucilles Platz«, warf ich ein. »Ich habe daneben gesessen.«

»Sie sind aber weder Mr. noch Mrs. Carlson aufgefallen. Die beiden haben uns erklärt, sie gingen ins Konzert, um Musik zu hören, nicht um Bekanntschaften zu machen.«

»Was ist mit den beiden Frauen links von mir? Haben Sie die nicht auftreiben können?«

»Sie meinen die Misses Grant? Ja, mit denen haben wir auch gesprochen.«

»Sie müssen sich an mich erinnern können. Besonders die eine mit dem Blumenhut. Ich bin ihr beim Hereinkommen aus Versehen auf den Fuß getreten.«

»Das weiß sie natürlich noch. Aber sie ist der Meinung, das sei nach der Pause passiert.«

»Dann spinnt sie! Es ist vor dem Konzert passiert! Ich hab' mir das ganze Programm angehört.« Ich holte tief Luft. »Und was ist mit dem Mann an der Kasse? Er muß wissen, daß ich dort war. Er hat sogar noch die Karte, die ich zurückgegeben habe.«

»Richtig, die hat er noch«, bestätigte Thurmond. »Er hat auch einen Zettel mit Ihrem Namen und Ihrer Adresse – und kann bestätigen, daß Sie kurz vor acht an der Kasse waren. Die Pause war um neun Uhr fünfundreißig zu Ende. Das bedeutet, daß Ihr Alibi eine Lücke von etwa eineinhalb Stunden aufweist, Garrison. Und wir haben festgestellt, daß man in einer Dreiviertelstunde vom Civic Auditorium zu Ihrem Haus und zurück fahren kann. Deshalb ist Ihr Alibi nicht allzuviel wert.«

»Das kommt darauf an, ob diese Miß Grant sich daran erinnern kann, wie's wirklich war. Sie ist schon älter und hat wahrscheinlich kein gutes Gedächtnis mehr. Sie hat sich geirrt. Lassen Sie mich mit ihr reden. Ich bringe sie dazu, daß sie sich daran erinnert, wie's wirklich war.«

»Wie wollen Sie das schaffen, Garrison? Mit Drohungen oder durch Bestechung?«

»Ich will nur, daß sie die Wahrheit sagt.«

»Um die geht's uns auch«, stellte er fest. »Aber bisher haben wir nur Zeugen gefunden, die aussagen, Sie könnten dort gewesen sein oder auch nicht. Sie können keine der beiden Möglichkeiten beschwören.«

Das ist unmöglich! sagte ich mir. Dein ganzer sorgfältig ausgearbeiteter Plan schlägt wegen zweier Snobs und einer an Gedächtnisschwund leidenden Alten fehl. Ich wünschte mir, Joe hätte ihr den Fuß gebrochen. Wie die Dinge jetzt standen, hätte er ebensogut unsichtbar sein können. Aber dann fiel mir etwas anderes ein!

»Augenblick!« sagte ich. »Ich weiß noch jemand, der mich gesehen hat. Das Mädchen an der Bar. Ich habe vor dem Konzert einen Scotch getrunken.«

»Wirklich?« Thurmond war skeptisch. »Glauben Sie, daß sie sich an alle Gäste erinnern kann?«

»An mich müßte sie sich erinnern. Ich habe ihr einen großen Schein gegeben — einen Fünfziger. Sie hat alles Kleingeld zusammenkratzen müssen, um mir herausgeben zu können.«

Thurmond machte sich einige Notizen und fuhr weg. Ich hörte erst am nächsten Morgen wieder von ihm. Er rief an, um mich zu bitten, zu ihm ins Präsidium zu kommen.

Auf der Fahrt in die Stadt ließ ich mir alle schlimmen Möglichkeiten durch den Kopf gehen. Vielleicht litt die Kleine hinter der Bar an Gedächtnisschwund. Vielleicht war Joe zu früh an der Bar gewesen, so daß ich bis halb neun hätte zu Hause sein können. Oder vielleicht hatte ich Glück gehabt, weil die Bardame mit ihrer Aussage mein Alibi bestätigt hatte.

Im Polizeipräsidium wurde ich sofort in Leutnant Thurmonds Dienstzimmer geführt. Er bot mir mit einer Handbewegung einen Platz an und warf mir dann einen prüfenden Blick zu, den ich mir nicht recht erklären konnte.

»Sie haben Glück gehabt, Garrison«, erklärte er mir. »Wir haben die Bardame vernommen. Normalerweise ist die Bar ab acht Uhr geöffnet, aber diesmal hatte sie sich etwas verspätet und hat erst um zehn nach acht hinter der Theke gestanden. Deshalb war dann gleich viel los.«

»Und sie ... erinnert sie sich an mich?«

»Sie kann sich daran erinnern, daß jemand einen Fünfziger gewechselt haben wollte. Wir haben ihr Ihr Foto gezeigt, und sie hätte nicht beschwören können, daß es das gleiche Gesicht war. Immerhin hat sie noch gewußt, daß der Mann eine auffällig karierte Jacke getragen hat.«

»Das war meine!« rief ich erleichtert aus. »Das war die Jacke, die ich am Sonntagabend getragen habe. Sie haben sie auch gesehen.«

»Ja, ich hab' sie gesehen.«

»Dann wissen Sie, daß ich unschuldig bin. Wenn ich nach acht Uhr zehn an der Bar war, kann ich meine Frau nicht um halb neun ermordet haben.«

»Richtig«, bestätigte der Leutnant. Er nahm etwas aus der Schreibtischschublade und legte es mir hin: einen Fünfzigdollarschein. »Das war der einzige Fünfziger in ihrer Kasse. Sie hat am Sonntagabend überhaupt nur einen eingenommen. Erkennen Sie ihn wieder?«

»Wie soll ich das können? Alle Fünfziger sehen gleich aus.«

»Dieser hier ist etwas anders. Sehen Sie diese Ecke? Sie ist eingerissen gewesen, und jemand hat ein Stück Klebstreifen darübergeklebt.«

Ich sah genauer hin und erkannte den Riß unter dem durchsichtigen Klebeband. »Das muß passiert sein, bevor ich ihn bekommen habe.«

»Woher hatten Sie diesen Schein, Garrison?«

»Ich habe am Samstag Mieten kassiert. Dabei nehme ich viel Bargeld ein. Aber das wissen Sie längst.«

»Und Sie verwenden dieses Geld für sich selbst?«

»Versuchen Sie jetzt, mir eine Unterschlagung anzuhängen?«

»Hier geht's um einen Mord, Garrison, nicht um eine kleine Unterschlagung. Ich möchte nur feststellen, ob dieser Schein von Ihnen stammt.«

»Wenn die Bardame ihn gehabt hat, muß es meiner gewesen sein«, erklärte ich ihm. Ich zögerte, starrte den Schein an und bemühte mich angestrengt, nur ja keinen Fehler zu machen. Dabei erinnerte ich mich an den Packen Geldscheine, den Joe mir gezeigt hatte. Je länger ich darüber nachdachte, desto bestimmter wußte ich, daß eine Ecke des obersten Scheins wie bei diesem hier angeklebt gewesen war.

»Ja«, sagte ich, »wenn ich's mir recht überlege, war mein Fünfziger an einer Ecke wie der hier repariert.«

»Ausgezeichnet!« Leutnant Thurmond schien mit diesem Ergebnis so zufrieden wie ich zu sein. »Ihr Alibi ist völlig in Ordnung. Sie können Ihre Aussage noch zu Protokoll geben, und wir konzentrieren uns wieder auf die Fahndung nach dem Mörder Ihrer Frau.«

Er ließ einen Stenografen kommen, der meine Aussage mitschrieb, während ich schilderte, was am Sonntagabend passiert war.

»Das ist der entscheidende Punkt«, warf Thurmond ein, als ich erwähnte, daß ich an der Bar gewesen war. »Am besten beschreiben Sie den Geldschein.«

Ich erwähnte also die eingerissene und wieder angeklebte Ecke, weil ich jetzt davon überzeugt war, den Schein in Joes Hand gesehen zu haben, und war davon überzeugt, alle Schwierigkeiten überwunden zu haben. Danach mußte ich einige Zeit warten, bis meine Aussage abgetippt worden war. Ich las das Protokoll durch, unterschrieb es und stand auf, um zu gehen. Der Leutnant begleitete mich.

»Nein, nicht mit dem Aufzug«, sagte er, als ich zu dem gehen wollte, mit dem ich heraufgekommen war. »Der wird gerade überholt. Fahren Sie lieber mit dem anderen an der Südseite des Gebäudes.«

Wir gingen nebeneinander her den Korridor entlang, bogen um eine Ecke und hatten eine Bank mit zwei Leuten vor uns. Links saß eine rundliche grauhaarige Frau.

»Das ist er!« kreischte sie, fiel blitzschnell über mich her und hämmerte mit beiden Fäusten gegen meine Brust. »Du Teufel! Du hast meinen Carl umgebracht! Dafür . . .«

»Schon gut, Mrs. Harley.« Der Mann neben ihr stand auf und kam heran, um sie von mir zurückzuziehen. »Immer mit der Ruhe, Ma'am. Wissen Sie bestimmt, daß das der Mann ist?«

»Was hat sie überhaupt?« Ich trat verblüfft einen Schritt zurück. »Ist sie übergeschnappt?«

Thurmond sah zu ihr hinüber. »Sehen Sie ihn sich gut an,

Mrs. Harley«, forderte er sie auf. »Können Sie ihn einwandfrei identifizieren?«

»Glauben Sie, daß ich seine große Nase und das weizenblonde Haar jemals vergessen werde? Ich hab' gesehen, wie er Carl zusammengeschlagen hat, wie er ihn mit dem Pistolengriff niedergeschlagen hat!« Sie starrte mich an und fügte leise hinzu: »Das hätten Sie nicht zu tun brauchen. Er hätte Ihnen das Geld gegeben. Sie hätten ihn nicht gleich umbringen müssen.«

»Okay, Bruckner«, sagte der Leutnant. »Sie können Mrs. Harley nach Hause bringen. Wir haben alles, was wir brauchen.«

»Was soll das?« erkundigte ich mich. »Was hat sie mit mir zu schaffen?«

»Ihrem Mann hat der Getränkemarkt am Bahnhof gehört, wo Sie am Samstagabend neunhundert Dollar erbeutet haben. Sie haben nicht gewußt, daß sie den Raubüberfall aus einem Nebenraum beobachtet hat, aber sie hat Sie deutlich gesehen.«

»Was wollen Sie mir da anhängen? Ich bin nie in ihrem Getränkemarkt gewesen!«

»Nein? Haben Sie auch ein Alibi für Samstagabend?«

»Ich war mit meiner Frau zu Hause.«

»Nur schade, daß sie das nicht mehr bestätigen kann. Hören Sie, Garrison, Sie sind erledigt. Wir wissen, daß Sie dringend Geld gebraucht haben. Mrs. Harley hat Sie identifiziert, und wir haben den Fünfzigdollarschein.«

»Den Fünfzig . . .«

»Den haben Sie nicht von einem Mieter bekommen. Er stammt aus der Kasse des Getränkemarktes. Mrs Harley hat die abgerissene Ecke selbst angeklebt. Sie hat uns sogar das Klebeband gezeigt. Der Klebstreifen auf dem Schein stammt von ihrer Rolle. Und Sie haben mit diesem Geldschein Ihren Drink bezahlt.«

»Nein, nein! Das ist alles ein gräßlicher Irrtum!«

»Haben Sie vielleicht ein Double?« fragte Thurmond sarkastisch.

Ja, ich habe ein Double! hätte ich am liebsten ausgerufen.

Mein Bruder Joe ist der Mann, den Sie suchen. Er ist bereits vorbestraft. Der Raubüberfall war das ›Glück‹, das er auf dem Weg zu mir gehabt hat. Daher hatte er das Geld, mit dem er bei mir angegeben hat.

Joe hatte den Alten ermordet, nicht ich. Aber wie lange würde die Polizei brauchen, um die richtigen Schlußfolgerungen aus dieser Tatsache zu ziehen? Würde Thurmond auf den Gedanken kommen, Joe habe mit dem Fünfziger bezahlt und meinen Platz im Konzertsaal eingenommen?

Ich hatte offenbar die Wahl zwischen zwei Morden. Ich konnte den Mund halten und mir Joes anhängen lassen. Oder ich verpfiff Joe und wurde wegen meines eigenen verurteilt.

»Na, wie steht's, Garrison?« fragte der Leutnant. »Wollen Sie nicht reinen Tisch machen und ein Geständnis ablegen?«

Ich öffnete den Mund – und machte ihn wieder zu. Ich konnte nichts sagen.

Nur kein Zufall

von
R. L. Stevens

Der Mann im Smoking hob sein Glas. »Auf Ihren Erfolg, Mr. Furnas.«

Harry Furnas, ein Amerikaner, der sich in Gegenwart reicher, gebildeter Engländer niemals recht wohlfühlte, nickte nur und hob ebenfalls sein Glas. Ihm ging es darum, sein Geld zu kassieren und zu verschwinden. »Ich muß jetzt weiter. Ich hab' noch viel zu tun.«

»Sie lassen mich nicht im Stich?«

»Er ist spätestens Sonntag tot«, versicherte Furnas ihm. »Was ist mit dem restlichen Geld?«

»Wir treffen uns am Montagabend hier. Dann bekommen Sie den Rest des vereinbarten Honorars.«

Furnas fuhr sich mit der Zungenspitze über seine trockenen Lippen. Cybil jammerte ständig, weil sie Geldsorgen hatten – aber das war nächste Woche vorbei. »Ich plane alles sorgfältig«, sagte er. »Ich überlasse nichts dem Zufall. Gibt es auf dem Landsitz Hunde?«

»Hunde? Nein. Warum interessiert Sie das?«

»Auf ein Gewehr mit hoher Durchschlagskraft können Sie keinen Schalldämpfer setzen. Aber wenn ich ziemlich nahe herankomme, verwende ich ein normales Jagdgewehr mit einem Jarrett-Dämpfer, durch den der Schußknall so verändert wird, daß er für menschliche Ohren unhörbar ist. Aber Hunde hören ihn manchmal und jaulen dann entsetzlich. Wenn's dort Hunde gibt, muß ich aus größerer Entfernung schießen und das andere Gewehr nehmen.«

»Dort gibt's keine Hunde«, erklärte ihm der Engländer.

»Gut«, meinte Furnas zufrieden. »Dann sehen wir uns am Montag hier.«

Sara Compton drehte sich im Bett um und sah in seine dunkelblauen Augen. »Wie alt bist du, Morgan?«

Ihre Frage verblüffte ihn. »Älter als ich mich benehme, aber jünger als ich aussehe.«

»Nein, wirklich! Wenn ich dich übers Wochenende nach Hause einlade, damit Mommy und Daddy dich kennenlernen können, muß ich das wissen. Vielleicht bist du schon alt genug, um mein Vater zu sein!«

Morgan schnaubte und stand auf. »Du bist einundzwanzig. Du kannst heiraten, wen du willst.«

»Morgan!«

»Ich bin knapp fünfunddreißig«, gab er zu und blieb damit ein paar Jahre unter der Wahrheit.

»Das ist eigentlich noch nicht schlimm. Daddy ist zehn Jahre älter als Mommy, deshalb kann er keine allzu großen Einwände erheben.«

»Ich würde deine Eltern gern kennenlernen«, sagte Morgan. Das stimmte tatsächlich. Um George Compton in seinem eigenen Haus kennenlernen zu können, bemühte er sich seit sechs Wochen um Comptons Tochter.

»Ich kann noch gar nicht glauben, daß wir uns erst so kurze Zeit kennen«, meinte sie, stand auf und begann, ihr Haar zu bürsten. »Ich habe manchmal das Gefühl, als seist du schon immer hier gewesen.«

»Ich wollte, das wäre wahr!«

»Alles ist so schnell gegangen . . .«

»Meinetwegen könnte es noch viel schneller gehen. Paß auf, ich habe eine Idee! Was hältst du davon, wenn wir deine Familie überraschen und schon heute hinfahren, anstatt bis Freitag zu warten?«

Sara setzte sich auf die Bettkante, um darüber nachzudenken. »Warum eigentlich nicht?« fragte sie dann. »Das ist eine prima Idee!«

Als sie an diesem Morgen London verließen, um in Richtung Westen nach Bristol zu fahren, war Morgan sehr mit sich und der Welt zufrieden. Sein Unternehmen hatte bisher geklappt, und er sah keine größeren Schwierigkeiten voraus. Sara Compton würde bestimmt nicht an gebrochenem Herzen sterben, wenn sich herausstellte, daß ihr Geliebter ein Betrüger und ein Dieb war. Sie war jung und hübsch genug, um einen anderen zu finden, bevor Morgans Flugzeug in New York landete.

Da er die Rechtssteuerung des englischen Wagens nicht gewöhnt war, konzentrierte er sich auf die Straße und überließ es Sara, die Landschaft zu kommentieren.

»Müssen wir bald abbiegen?«

»Kurz vor Bath. Ich zeige dir, wo.«

Er bog an der Stelle ab, die Sara ihm zeigte, und fuhr auf einer schmalen Straße weiter. Schließlich sagte Sara: »Wir sind da!«

Eindrucksvoll, dachte Morgan, als er von der Straße auf die Einfahrt abbog und das weiße Herrenhaus inmitten des weitläufigen Parks sah.

Von einem bewaldeten Hügel über dem Landsitz der Comptons aus beobachtete Harry Furnas die Ankunft dieses vorerst letzten Wagens. Er hatte nicht mit so vielen Leuten gerechnet. Unter Umständen war es doch schwieriger, bis Sonntag das richtige Ziel zu finden und seinen Auftrag auszuführen, als er bisher gedacht hatte.

Er schob sich einen frischen Kaugummi in den Mund und dachte über das Problem nach. Wenn dort unten keine Hunde waren, so daß er nahe genug herankonnte, um den Schalldämpfer zu verwenden, war es bestimmt nicht allzu schwierig, den Mann zu identifizieren, den er erschießen sollte. Aber wenn er das andere Gewehr mit Zielfernrohr verwenden mußte, konnte die Identifizierung schwierig werden, weil er sich nur an einem Amateurfoto orientieren konnte.

Nach einiger Zeit schlenderte er den Hügel hinunter zu dem Auto, in dem Cybil auf ihn wartete.

George Compton war ein polternder Mann Anfang Fünfzig, der Morgan aus braunen Augen prüfend betrachtete. Er nahm seine dicke Havanna aus dem Mund, um zu fragen: »In welcher Branche sind Sie also tätig, Mr. Morgan?«

»In der Kunststoffverarbeitung. Ich bin Ingenieur bei Plasticide Industries.«

»Eine gute Firma«, gab Compton zu. Aber er war offensichtlich nicht glücklich über Morgan — wie seine Frau, eine aparte Grauhaarige. »Wir hatten ehrlich gesagt nie erwartet, daß unsere Sara jemand nach Hause bringen würde, der soviel älter als sie ist.«

»Ich bin erst fünfundreißig.«

»Sie wirken älter«, sagte Mrs. Compton. »Waren Sie schon einmal verheiratet?«

»Ja«, gab er zu. Das schien die richtige Antwort zu sein.

George Compton führte das Verhör weiter. »Sara ist erst einundzwanzig. Was haben Sie mit ihr vor, Mr. Morgan?«

»Wir wollen heiraten, Daddy«, warf Sara ein, bevor Morgan antworten konnte. »Mit oder ohne deine Erlaubnis.«

George Compton nahm erneut die Zigarre aus dem Mund. »Darüber sollten wir unter vier Augen sprechen«, erklärte er Morgan. »Kommen Sie mit in mein Arbeitszimmer?«

»Selbstverständlich, Sir.«

Der Raum war groß und holzgetäfelt und enthielt nach bester englischer Tradition deckenhohe Bücherschränke. Morgan nahm in einem bequemen Sessel Platz und wartete darauf, daß Saras Vater beginnen würde. Compton schenkte zwei Gläser Wein ein, stellte ihm eines hin und setzte sich ihm gegenüber. »Wir sind beide alt genug, um zu wissen, was in der Welt vorgeht, Mr. Morgan. Worauf haben Sie es abgesehen — auf Geld?«

»Nein, Sir. Ich liebe Ihre Tochter.«

George Compton seufzte. »Wissen Sie, in welcher Branche ich tätig bin?«

»Compton Computer Service?«

»Richtig. Ich habe keinen Sohn, und Sara wird eines Tages meine Firma erben. Hier in der Nähe liegt ein ehemaliges

Bergwerk, in dem Tausende von Magnetbändern von Banken und Industriefirmen lagern. Das Bergwerk ist vor Bomben und Dieben geschützt, aber alle meine Kunden haben über ein gewöhnliches Computerterminal Zugang zu ihren gespeicherten Daten. Für diese Lagerung bezahlen meine Klienten eine einträgliche Pauschale.«

Compton lehnte sich in seinen Sessel zurück. »Falls Sie meine Tochter wirklich heiraten wollen, müssen Sie sich darüber im klaren sein, daß ich sie niemals heiraten lassen würde, bevor ich Sie hätte überprüfen lassen. Ich würde alles tun, um zu verhindern, daß die Firma Compton Computer Service in die Hände eines Glücksritters fällt.«

»Das verstehe ich natürlich«, antwortete Morgan gelassen, weil er wußte, daß er längst wieder fort sein würde, bevor Saras Vater Erkundigungen über ihn einziehen konnte.

Sie wurden unterbrochen, als ein großer dunkelhaariger Mann die Tür des Arbeitszimmers öffnete. Obwohl er viel jünger als Compton war, waren die beiden offenbar miteinander verwandt. »Entschuldige die Störung, George, aber die Damen werden schon ungeduldig.«

Compton stand auf. »Mein Bruder Roderick – und das hier ist Michael Morgan, Saras Freund.«

Roderick Compton schüttelte Morgan die Hand. »Freut mich, Sie kennenzulernen. Sara hat uns eben mit der Story unterhalten, wie Sie ihr in der Londoner Untergrundbahn begegnet sind.«

Sie verließen das Arbeitszimmer und gesellten sich wieder zu Sara und ihrer Mutter. Gegen Abend traf ein weiterer Wochenendgast ein. Er hieß Lord Bellows, fuhr einen schmutzbespritzten Kombi und hatte zwei Jagdhunde auf dem Rücksitz.

»Läßt du ihn die Hunde mit ins Haus bringen?« fragte Roderick seinen Bruder.

»Keine Angst, die bleiben draußen«, versicherte Lord Bellows ihnen. Als Morgan beobachtete, wie er mit seinen schmutzigen Jagdstiefeln durchs Wohnzimmer stolzierte, mußte er unwillkürlich grinsen.

Cybil drehte sich um und hielt Harry Furnas den Telefonhörer hin. »Für dich«, sagte sie. »Ich dachte, niemand wüßte, daß wir hier sind.«

»Das weiß auch niemand – nur der Mann, der mich angeheuert hat. Irgendwas muß schiefgegangen sein.«

Er nahm den Hörer entgegen und meldete sich. Die Stimme am anderen Ende sagte: »Tut mir leid, hier hat es Schwierigkeiten gegeben. Einer der Wochenendgäste hat zwei Jagdhunde mitgebracht.«

»Verdammt noch mal! Jetzt kann ich den Schalldämpfer nicht benützen!«

»Dann müssen Sie eben das andere Gewehr nehmen.«

»Ist Ihnen überhaupt klar, daß ich ihn noch nie gesehen habe? Ich habe nur diesen miesen Schnappschuß, den Sie mir gegeben haben. Was ist, wenn ich den Falschen erwische?«

»Hm. Ist Ihnen damit geholfen, wenn ich ihn zu einem bestimmten Zeitpunkt ins Freie schicke?«

»Klar.«

»Sie kennen doch die Terrassentüren, die nach Westen zum Rasen hinausführen?«

»Ja.«

»Dort kommt er morgen nachmittag um Punkt vier Uhr heraus. Haben Sie das?«

»Okay.«

»Sie verfehlen ihn nicht?«

»Das wäre das erstemal.«

Harry legte auf und ließ sich aufs Bett zurückfallen. »Na, hoffentlich ist das Gespräch nicht abgehört worden!« meinte Cybil.

»Wir haben keinen Namen erwähnt. Außerdem würde niemand wagen, George Comptons Telefon anzuzapfen.«

»Ist er der Mann, den du erschießen sollst?«

Er ignorierte sie, stand auf und trat ans Fenster. »Komm!« forderte er sie schließlich auf. »Wir gehen runter zum Essen.«

Morgan hörte jemand seinen Namen rufen, drehte sich um

und sah Sara herankommen. »Ich hab' dich überall gesucht«, erklärte er ihr.

»Hat Daddy mit dir über seine Firma gesprochen?«

»Ja, ziemlich lange. Wir haben uns gut unterhalten.«

»Hoffentlich hat dich das nicht gekränkt. Er hat solche Angst, daß jemand mich heiraten könnte, nur um die Firma unter seine Kontrolle zu bringen.«

»Keine Angst, das habe ich garantiert nicht vor!« versicherte Morgan ihr. Er plante tatsächlich eher kurzfristig. Warum sollte er irgendeinen Coup jahrelang vorbereiten, wenn schon ein Wochenende lohnend sein konnte? Und warum sollte er ein Mädchen wie Sara heiraten, wenn seine New Yorker Freundin viel aparter war?

Sie gingen gemeinsam zum Abendessen. George Compton saß zwischen seiner Frau und Sara an der Spitze des Tisches. Morgan und Roderick saßen neben den beiden. Lord Bellows kam erst, als der Hauptgang serviert wurde. »Ich mußte nach meinen Hunden sehen«, erklärte er den anderen. »Sie sind solche Notunterkünfte nicht gewöhnt.«

»Mehr haben wir ihnen leider nicht zu bieten«, antwortete Mrs. Comptom spitz. »Sie wissen ja, daß wir selbst keine Haustiere halten.«

Beim Nachtisch sagte Morgan beiläufig: »Ich habe über Ihre Firma nachgedacht, Mr. Compton. Vielleicht könnten wir auch bald zu Ihren Klienten zählen.«

Compton zog die Augenbrauen hoch. »Ich dachte, Sie seien in der Plastikindustrie tätig?«

»Ganz recht«, stimmte Morgan zu. »Aber wir überlegen uns, ob wir unsere Forschungsergebnisse nicht auf diese Weise speichern sollten.« Während er immer begeisterter von diesem Thema sprach, merkte er, wie Lord Bellows ihn über den Tisch hinweg mißtrauisch beobachtete.

Als die anderen nach dem Abendessen beim Cognac in der Bibliothek saßen, hielt Bellows ihn in der Diele auf. »Morgan, nicht wahr? Sie sind wohl aus Amerika gekommen, um die Tochter des Hauses zu heiraten?«

»Richtig, Sir.«

Lord Bellows rümpfte die Nase. »Der Alte verdächtigt Sie. Viele Männer würden eine reiche Erbin wie Sara Compton heiraten wollen. Sind Sie aufs Geld aus?«

»Mir geht es um Sara. Ich liebe sie nämlich.«

»Viel Glück«, sagte Bellows ironisch.

Am Samstagmorgen machte Morgan einen Spaziergang im Park, als ihm ein Lichtblitz auffiel, der von dem nächsten Hügel kam. Er verließ den Park durch ein Fußgängertor, hielt sich im Schatten einer Hecke und stieg rasch zu der Stelle hinauf, von der aus das Glitzern gekommen war. Er hatte vermutet, daß dort oben ein Polizeibeamter mit einem Fernglas auf der Lauer liegen würde, aber als er nahe genug heran war, sah er etwas ganz anderes. Ein Mann in seinem Alter setzte ein Gewehr mit Zielfernrohr zusammen, so daß sich die Morgensonne gelegentlich auf der Optik spiegelte.

Morgan verstand genug von Waffen, um zu erkennen, daß dieser Mann kein Polizeibeamter sein konnte. Er mußte ein Killer sein, der den Auftrag hatte, jemand in Comptons Haushalt zu erledigen. Morgan beobachtete ihn eine Zeitlang fasziniert und schlich dann auf dem gleichen Weg zurück. Er wußte, daß er diese Entdeckung sofort George Compton melden und sich dadurch bei ihm einschmeicheln konnte – aber das bedeutete, daß die Polizei ins Haus kommen würde, was vorerst unter allen Umständen vermieden werden mußte.

Morgan beschloß, nichts zu unternehmen. Was der Mann auf dem Hügel tat, konnte ihm nur nützen. Ein Schuß, der jemand tötete oder auch nur verwundete, würde die anderen ablenken, so daß Morgan sich ungestört mit Comptons Unterlagen beschäftigen konnte. Natürlich würde die Polizei dann kommen; aber sie würde nach einem Heckenschützen, nicht nach einem Dieb fahnden.

George Comptons Unterlagen waren für ihn der Schlüssel zum Reichtum und der Grund dafür, daß er Sara Compton seit sechs Wochen den Hof machte. Irgendwo gab es ein Verzeichnis, in dem die Klienten der Firma Compton Computer Service mit ihren Kennziffern und Codeworten aufgeführt waren. Mit diesen Informationen würde Morgan am Sonntagabend nach London zurückfahren – zu einem Computerterminal, das er eigens für diesen Zweck gemietet hatte. Von dort aus hatte er dann Zugang zu den gespeicherten Daten der größten Londoner Bank.

Für Morgan war es dann ein Kinderspiel, diese Daten so zu ergänzen, daß sein Name auf einer Liste von Aktionären erschien, die in zwei Wochen über diese Bank Dividendenzahlungen erhielten. Bevor jemand merkte, was passiert war, würde er etwa 50 000 Pfund kassiert haben und längst wieder außer Landes sein.

Deshalb erzählte er niemand von dem Mann auf dem Hügel, obwohl er viel über ihn nachdachte. Wenn er Sara und Mrs. Compton ausklammerte, gab es nur drei mögliche Ziele für den Heckenschützen: George Compton, sein Bruder Roderick und Lord Bellows. Der Lord war unangemeldet gekommen, so daß kaum anzunehmen war, daß dieser sorgfältig vorbereitete Anschlag ihm galt. Bei den Brüdern Compton sah die Sache anders aus. Beide verbrachten ihre Wochenenden regelmäßig in diesem Haus.

Diese Überlegungen beschäftigten ihn auch noch beim Mittagessen, als er die Brüder beobachtete, die sich lebhaft unterhielten.

Nachmittags sah Morgan gelegentlich wieder aus dem Fenster und versuchte zu erkennen, wo der Schütze auf der Lauer lag. Aber die Sonne stand jetzt im Südwesten und erzeugte keine verräterischen Reflexe mehr. Vielleicht war der Mann mit dem Gewehr längst weitermarschiert. Vielleicht war er nur ein Jäger gewesen, der eine Zigarettenpause gemacht hatte.

Kurz vor vier Uhr hielt George Compton ihn in der Diele an. »Ich hätte mich gern nochmals mit Ihnen über Plasticide Industries unterhalten. Haben Sie einen Augenblick Zeit?«

Das war die Chance, auf die Morgan gewartet hatte. »Selbstverständlich, Sir. In Ihrem Arbeitszimmer?«

Compton ließ ihm den Vortritt und schloß die Tür hinter ihnen. »Je mehr ich mich mit Ihnen befasse, Morgan, desto sympathischer sind Sie mir. Ich gebe zu, daß ich zuerst etwas mißtrauisch war, aber das ist jetzt vorbei.« Er lächelte. »Gut, kommen wir also zur Sache.«

Morgan setzte sein charmantestes Lächeln auf. »Ich weiß, daß meine Firma sehr an Ihrem System interessiert wäre. Wodurch wird übrigens verhindert, daß jemand sich Zugang zu den gespeicherten Informationen verschafft?«

»Ganz einfach«, antwortete Compton. Er trat an seinen Wandsafe, stellte die Kombination ein, öffnete ihn und nahm ein in Leder gebundenes Notizbuch heraus. »Hier stehen die Kennziffern und Codeworte aller meiner Klienten.«

»Darf ich einen Blick hineinwerfen?«

Saras Vater zögerte. Dann legte er das Notizbuch vor Morgan auf den Schreibtisch und schlug es für ihn auf . . .

Harry Furnas bewegte seine Beine, die einzuschlafen drohten, und sah auf die Uhr. Er war schon vormittags hier heraufgekommen, um sich nicht durch späteres Eintreffen zu verraten. Jetzt war es kurz vor vier Uhr. Er rückte seine Waffe zurecht und sah erneut durchs Zielfernrohr.

Die Terrassentüren befanden sich genau im Fadenkreuz. Er warf noch einen Blick auf den Schnappschuß, um ganz sicher zu sein. Dann sah er wieder auf dieTür.

Eine Minute vor vier.

Morgan brauchte nur einen Blick auf Angaben der Bank zu werfen, um sich die Kennziffer und das Codewort zu merken: *7876541* und *Tuckerbag*. Das genügte. Er klappte das Buch zu und gab es George Compton zurück. Der andere wollte es eben in den Safe legen, als er plötzlich zusammenzuckte. »Großer Gott, was war das? Ein Schuß?«

»Ich habe nichts gehört«, sagte Morgan.

»Es war ein Schuß! Jagt dieser Idiot Bellows in der Nähe des Hauses?« Er riß eine Terrassentür auf. »Sind Sie so nett und sehen Sie sich draußen um, Morgan?«

»Natürlich. Aber ich hab' nichts gehört.«

Er trat ins Freie und beschattete die Augen mit einer Hand,

um besser sehen zu können. Er sah das Mündungsfeuer von Furnas' Gewehr zu spät. Ihm wurde zu spät klar, was hier gespielt wurde.

Morgan spürte noch, wie die Kugel ihn traf; aber er war tot, bevor der Schußknall ihn erreichte.

Einige Stunden später traf Roderick seinen Bruder allein im Arbeitszimmer an. »Das hast du arrangiert, George«, stellte er fest. »Du hast ihn ermorden lassen, stimmt's?«

George Compton, der wieder einen Smoking trug, hob sein Weinglas. »Als Sara mir vor einigen Wochen sein Foto geschickt und mir geschrieben hat, sie werde ihn dieses Wochenende mitbringen, habe ich ihn natürlich überprüfen lassen. Er hat sich als bekannter amerikanischer Betrüger herausgestellt – bestimmt kein Mann für meine Tochter.«

»Warum hast du ihr nicht einfach die Wahrheit über ihn gesagt?«

»Das wollte ich zunächst«, antwortete George Compton. »Aber was wäre gewesen, wenn sie nicht auf mich gehört hätte? Wenn sie ihn trotzdem geheiratet hätte? Nein, das war die bessere Methode. So ist nichts dem Zufall überlassen geblieben.«

Das sprechende Bild

von
John L. Brown

»Du bist dir natürlich darüber im klaren, daß deine Idee, du könntest mit einem Bild *reden,* absolut lächerlich ist, nicht wahr, Jerome?«

»Natürlich ist mir das klar«, antwortete Jerome.

»Ich meine, du glaubst doch nicht wirklich, daß du mit einem *Bild* reden kannst?« fragte Onkel Harry.

»Das weiß ich selbst nicht«, sagte Jerome. »Ich weiß nur, daß ich eine Stimme höre.«

»Ganz recht«, erwiderte Onkel Harry. »Du kannst schließlich nichts dafür, wenn du eine Stimme hörst, die aus einem Bild zu kommen scheint.«

»Spar dir deinen Sarkasmus!« fuhr Jerome ihn an.

»Wie du willst, mein lieber Junge.« Onkel Harry lächelte. »Weißt du, was dein Problem ist, Jerome? Nein? Dann sage ich es dir. Du spinnst, das ist dein Problem, Jerome. Ich nehme an, daß deine neunmalklugen Ärzte diese Tatsache anders umschreiben, aber das ändert nichts daran. Zu meiner Zeit haben wir nichts auf gelehrte Fachausdrücke gegeben. Wir hätten einfach gesagt, daß du spinnst, und dich ins Irrenhaus gesteckt.«

»Ich bin nicht verrückt! Und außerdem heißt der richtige Ausdruck geisteskrank«, widersprach Jerome. »Ich habe mit einem Psychiater darüber gesprochen, weißt du. Er hält mich nicht für geistesgestört.«

»Natürlich nicht«, stimmte Onkel Harry zu. »Wenn er dir offen erklären würde, daß du spinnst, würde er dich vergrämen und einen Patienten verlieren. Du bist ›emotional labil‹ oder bist ›unter nervlicher Belastung für Halluzinationen anfällig‹. Ja, ich kenne diese modernen Ausdrücke, mit denen die Patienten beschwichtigt werden!«

»Mein Arzt ist anders«, protestierte Jerome. »Ich habe ihm alles erzählt, und er war sehr verständnisvoll.«

»Du hast ihm alles erzählt, was?« erkundigte Onkel Harry sich ungläubig. »Hast du ihm gesagt, daß du einen Mann ermordet hast, Jerome?«

»Natürlich nicht!«

»Das hab' ich mir gedacht. Du hast nur davon gesprochen, daß ein Bild mit dir geredet hat. Du hast zu erwähnen vergessen, daß es das Porträt des Mannes war, den du ermordet hast. Dein lieber Arzt wäre bestimmt noch verständnisvoller gewesen, wenn du ihm *das* erzählt hättest!«

»Gut, ich war der Meinung, er brauche nicht alle Einzelheiten zu erfahren.«

»Sie sind aber sehr wichtig«, behauptete Onkel Harry. »Solange er glaubt, du seist urplötzlich der Meinung, ein Bild habe dich angesprochen, könnte er Zweifel an deinem Geisteszustand hegen. Hättest du ihm jedoch erzählt, daß es sich dabei um das Porträt eines von dir Ermordeten handelt, hätte er gleich gewußt, daß sich dadurch dein schlechtes Gewissen bemerkbar macht.«

»Mein schlechtes Gewissen?« wiederholte Jerome spöttisch. »Unsinn!«

»Ganz recht«, stimmte Onkel Harry zu. »Hättest du ein Gewissen, hättest du ein raschwirkendes Gift benützt, anstatt eine langsamwirkende, schmerzhafte Droge zu nehmen.«

»Woher sollte ich wissen, wie das Mittel wirken würde?« erkundigte Jerome sich gekränkt. »Ich bin schließlich kein Apotheker!«

»Nein, das bist du nicht, Jerome«, bestätigte Onkel Harry, »aber du bist intelligent. Und geldgierig ... Oh, ich wollte dir übrigens noch zu dem hervorragend gefälschten Abschiedsbrief gratulieren. Wie lange hast du gebraucht, um die Handschrift einzuüben?«

»Ungefähr ein Vierteljahr.«

»Das war erstklassige Arbeit. Der Brief hat die Polizei

völlig irregeführt. Aber deine ganze Schlauheit nützt dir jetzt natürlich nichts mehr. Du wirst das Vermögen, daß du geerbt hast, nie genießen können. Das ist dir doch klar, nicht wahr, Jerome?«

»Warum sollte ich es nicht genießen können?« fragte Jerome langsam.

»Weil dein neunmalkluger Psychiater dich ins Irrenhaus stecken lassen wird, weil du mit einem Bild geredet hast«, antwortete Onkel Harry.

»Das ist gelogen!« protestierte Jerome. »Das tut er bestimmt nicht!«

»Nein? Habe ich dich nicht selbst gehört, wie du dem Dienstmädchen gesagt hast, du müßtest zu einer Untersuchung ins Krankenhaus?«

»Ja, aber ... das ist nur eine Routineuntersuchung«, wandte Jerome ein.

»Die Gaskammer war auch nur eine Routinesache, bis sie abgeschafft worden ist.«

»Hör auf damit!« knurrte Jerome. »Sonst fliegst du aus dem Haus!«

»Reg dich nicht auf, Jerome«, beschwichtigte Onkel Harry ihn. »Wenn sie dich ins Irrenhaus stecken, komme ich und besuche dich.«

»Das würdest du nie tun!« Jerome wandte sich ab und wollte gehen.

»Jerome!« Onkel Harrys Stimme klang ungewohnt scharf. Jerome kam zurück.

»Du hast die Polizei sehr geschickt hereingelegt, Jerome«, sagte Onkel Harry, »aber hast du dir wirklich eingebildet, meiner Rache entgehen zu können?«

Jerome fluchte, kehrte dem Porträt den Rücken zu, aber er wußte, daß Onkel Harry recht hatte.

Lichtspielereien

von
Dennis O'Neil

Kobo und ich standen in knöcheltiefem Schlamm und suchten unser Farmhaus nach Sturmschäden ab. Der Sturm war ein halber Orkan gewesen, ein heulender Wind, der den von schweren Regenfällen angeschwollenen Fluß aufgestaut hatte, bis er über die Deiche getreten war.

Unser Haus stand völlig ungeschützt auf einem niedrigen Hügel. Wir waren die ganze Zeit in unseren vier Wänden geblieben; ich hatte gelesen, Kobo hatte meditiert oder sich mit Schachaufgaben beschäftigt.

Trotz des Sturms war das Haus noch intakt; kein Dachziegel fehlte, und die mit Asbestzementtafeln verkleideten Wände waren unbeschädigt.

»Glück gehabt«, murmelte ich.

»Das muß gefeiert werden«, entschied mein Stiefsohn Kobo. »Hamburger, Pommes frites und einen großen Becher Vanillemilch.«

»Was wir alles nicht im Haus haben, wie du recht gut weißt.«

»Aber das gibt's in dem neuen Schnellimbiß in Feeley.«

»Kommt nicht in Frage! Ich will nicht, daß du dir den Bauch mit diesem denaturierten Zeug vollschlägst.«

»Womit soll ich ihn mir sonst vollschlagen, Rafe? In der Speisekammer sind nur noch Graupen und Reis. Schon wieder Graupensuppe? Puh! Los, Rafe, weißt du denn gar nicht, was *leben* heißt?«

Ich dachte über eine Antwort nach, die meinem zehn Jahre alten japanischen Genie zeigen würde, wer hier der Boß war, als ich ein Auto herankommen hörte. Ich ging zur Einfahrt, einem kiesbestreuten Weg, und starrte in Richtung Straße. Im nebeligen Zwielicht konnte ich undeutlich einen Kombi ausmachen, der unser Tor passierte. Seine Scheinwerfer leuchteten auf, als er nach der ersten Kurve geradewegs auf uns zukam.

»Wir bekommen Gesellschaft!« rief ich Kobo zu.

»Dann bist du gerettet.«

»Wovor?«

»Du brauchst keine Entscheidung zu treffen. ›Die Götter beschützen die Unfähigen.‹«

»Welcher orientalische Weise hat das wieder gesagt?«

»Kobo Daishi Grogan, ein japanischer Weiser in Amerika.«

Inzwischen hielt der Kombi unter der großen Ulme in unserem Hof, und ein kräftiger jüngerer Mann in grauer Uniform stieg aus. Er trug sein blondes Haar auffällig kurz und hatte ein sonnenverbranntes Gesicht. Ich sah, daß seine rechte Hand auf dem Griff seines Colts lag, und reagierte instinktiv, indem ich näher an Kobo herantrat, obwohl mir klar war, daß diese Reaktion überflüssig war. Mein Unbehagen verflog, als er mich ansprach.

»Mr. Grogan? Mr. Rafael Xavier Grogan?« Er fragte wie ein schüchterner Schuljunge.

»Ja, der bin ich.«

»Ich bin Deputy Lansing.« Das klang fast wie eine Frage; anscheinend war er sich *seiner* Identität auch nicht ganz sicher.

»Hallo, Deputy.«

»Sheriff Matt möchte Sie sprechen.«

»Habe ich irgend etwas verbrochen?«

»Nein, Sir. Er hat ein Problem, bei dem Sie ihm vielleicht helfen können.«

»Warum gerade ich?« Unser Frage- und Antwortspiel erinnerte mich an einen Ballwechsel beim Tischtennis.

»Nun, Sie sind schließlich ein berühmter Privatdetektiv . . .« Auch das klang eher nach einer Frage.

»Nein, ich lebe im Ruhestand.« Das stimmte nicht ganz: Ich war dabei, in den Ruhestand zu treten und meinem Partner Barney Schultz meinen Anteil an der Firma Grogan-Schultz

Inquiries, Inc., zu verkaufen. Aber ich übernahm gelegentlich weitere Aufträge, um Rechnungen bezahlen zu können, solange die Farm noch keinen Gewinn abwarf.

»Könnten Sie das Sheriff Matt erklären?« fragte Lansing.

»Augenblick, Deputy.«

Ich führte Kobo hinters Haus. »Na, was hältst du davon, Kobo? Soll ich mich ins Kampfgetümmel stürzen?«

»Du würdest lieber hierbleiben.«

»Allerdings! Ich versuche, von dieser Privatdetektivmasche loszukommen.«

»Das mußt du selbst entscheiden, Rafe. Das ist dein Karma.« Das sollte kein Scherz sein; trotz seiner Aversion gegenüber natürlicher Ernährung ist Kobo Daishi Grogan das Kind seiner Mutter: er nimmt seine Religion ernst.

Ich strich mir den Bart und überlegte. Ich war als Witwer neu zugezogen und hatte vermutlich den einzigen frühreifen Asiaten zwischen St. Louis und Oklahoma City im Haus. Ich hatte oft Mißtrauen und eine gewisse Feindseligkeit wahrgenommen, wenn wir in Feeley einkauften. Die Leute trauten mir nicht — sie hatten zuviel Unsinn über den angeblich so berühmten Privatdetektiv gehört —, und die Hautfarbe meines Stiefsohns machte sie noch mißtrauischer. Und wir hatten uns in den Kopf gesetzt, hier zu leben. Konnte ich es mir leisten, Sheriff Matts Bitte um Unterstützung abzulehnen? Nein, das konnte ich nicht.

»Komme gleich!« rief ich Lansing zu.

Kobo folgte mir ins Haus. Ich vertauschte meinen Overall gegen ein James-Bond-Kostüm: beiger Rollkragenpullover, braune Cordsamthose, Stiefel. Dann zog ich eine Tweedjacke an, kämmte mir Haare und Bart und war fertig.

»Geh früh ins Bett«, forderte ich Kobo auf.

»Wird gemacht«, antwortete er. »Rafe, Buddha hat gesagt: ›Wir sind die Erben unserer Taten.‹«

»Und heute abend könnte ich erben, was mir fünfzehn gewalttätige Jahre eingebracht haben, was?«

»Das ist dein Karma«, wiederholte er.

»Vielen Dank.«

Ich verabschiedete mich rasch und lief hinaus. Deputy Lansing wartete in seinem Kombi. Ich setzte mich neben ihn und beobachtete im bläulichen Licht der Instrumentenbeleuchtung, wie er die Stirn runzelte, während er schaltete. Als wir am Schuppen vorbeifuhren, hätte ich ihn fast gebeten, kurz zu halten. Ich erinnerte mich an meinen mit einer Plane zugedeckten Sportwagen, in dessen Handschuhfach eine geladene Pistole lag, mit der ich bereits einmal einen Mann erschossen hatte. Aber ich hielt den Mund. Ich war es Kobo und mir schuldig, daß die Gewalttätigkeiten aufhörten — und es wurde Zeit, daß ich daran dachte, meine Schuld zu begleichen.

Auf der Highway P bog Lansing nach Süden ab. »So kommen wir doch nicht nach Freeley!« protestierte ich.

»Wir fahren nicht in die Stadt. Die Sache ist auf der Singleton-Farm passiert.«

»Welche Sache?«

»Mir wär's lieber, wenn Sheriff Matt Ihnen das erklären würde.«

Okay, dachte ich, meinetwegen hältst du die Klappe, wenn dein IQ dafür ausreicht, was ich bezweifle. Ich lehnte mich zurück, ignorierte die Stöße, wenn der Wagen durch Schlaglöcher fuhr, und sah aus dem Fenster. Wolkenfetzen zogen am Vollmond vorbei, und die ersten Sterne erschienen am Abendhimmel. Links von uns glitzerte der Fluß; rechts stieg Nebel aus den Feldern auf.

Dann war alle Schönheit schlagartig verschwunden. Vor uns erschien das Industrielle Amerika in seiner ganzen Scheußlichkeit: die riesige Bleiraffinerie, die Bridge Industries vor zehn Wochen in Betrieb genommen hatte. Aus häßlichen grauen Gebäuden mit Wellblechdächern stiegen Feuersäulen, Dampf und Rauch auf.

Highway P machte einen Bogen um die Anlage und führte nach Westen in die Hügel hinein. Ich wußte, daß es hier Farmer gab, aber ich konnte mir nicht vorstellen, warum sie dort blieben. Im Gegensatz zu den fruchtbaren Flußniederungen war der Boden hier schlecht und steinig. Die Leute in den Hügeln galten als eigensinnig und abergläubisch, aber daran war wohl ihr schweres Leben schuld. Kein Wunder, daß die meisten Arbeiter aus diesem Gebiet kamen; Bridge Industries konnte ihnen wenigstens ihren Wochenlohn garantieren.

Wir fuhren etwa drei Meilen weit. Dann bremste Lansing, hielt neben einem reparaturbedürftigen Holzzaun und stieg aus.

»Von hier aus gehen wir zu Fuß weiter. Der Kombi hat schlechte Reifen.«

Ich marschierte hinter ihm her durch hohes Gras, das die beiden Fahrspuren überwuchert hatte. Vor uns ragte etwas Eigenartiges auf: eine Windmühle, deren Flügel sich in der leichten Brise knarrend drehten und den blauschwarzen Himmel zerhackten. Wir machten einen Bogen um diesen Anachronismus und waren am Ziel.

Zuerst sah ich nur das Haus im Scheinwerferlicht: die Holzverschalung, von der weiße Farbe abblätterte, den Schaukelstuhl auf der niedrigen Veranda, die eingeschlagenen Fenster und den baufälligen Kamin. Das Ganze erinnerte mich an eine Kulisse für *Tobacco Road*, und der Scheinwerfer hätte das Rampenlicht sein können. Er war auf dem Dach eines im Hof parkenden Funkstreifenwagens montiert. Ein Schatten tauchte aus der Dunkelheit auf, als wir näherkamen.

»Sind Sie's, Lansing?«

»Ja, Sheriff. Ich hab' Mr. Grogan mitgebracht.«

Der Schatten streckte mir die Hand entgegen. Ich griff danach und erwiderte den Händedruck. »Mr. Grogan, ich bin Sheriff Matt Olbrick.«

»Freut mich, Sie kennenzulernen, Sheriff.«

»Kommen Sie bitte mit, Mr. Grogan.« Er schob mich vor sich her zu seinem Wagen – eine merkwürdig schwächliche Geste, der ich mich aus Prinzip kurz widersetzte, bevor ich mitging.

»Wir stehen vor einem Problem, bei dessen Lösung Sie uns vielleicht helfen können«, meinte er.

»Ich tue gern, was ich kann.«

»Wunderbar, wunderbar.«

Er lehnte an seinem Streifenwagen, holte Feuerzeug und Zigaretten aus der Hemdtasche und zündete sich eine Zigarette an. Im Feuerschein konnte ich sein Gesicht betrachten: breit, ungesund blaß, mit schweren Tränensäcken unter kleinen Augen und einer Trinkernase.

Der Sheriff war größer als Lansing, so groß wie ich; aber seine Uniform schlotterte an seinem Körper – offenbar hatte er in letzter Zeit Gewicht verloren. Er atmete schnaubend aus, und ich merkte, daß er getrunken hatte. Ein Säufer als Sheriff: wahrscheinlich wie alle Männer dieser Art eifersüchtig auf ihre Autorität bedacht, in ständiger Angst, seinen Job zu verlieren, und ganz allgemein unmögliche Partner. Ich erkannte in ihm ein mögliches Ich, einen vielleicht noch immer möglichen Grogan, denn auch ich war früher ein Trinker gewesen. Deshalb haßte ich diesen Mann, wie man einen lebenslänglichen Feind haßt.

»Ihr Problem, Sheriff?« erkundigte ich mich mürrisch.

»Nun, in dem Haus dort drüben hält ein Mann ein Mädchen gefangen und bedroht es mit der Waffe.«

»Eine Entführung?«

»Nein, nichts so Einfaches. Die Sache hat persönliche Gründe.«

»Was für persönliche Gründe? Will er was von ihr?«

Olbrick schnaubte. »Nein, dafür interessiert er sich schon seit Jahren nicht mehr. Er ist alt – mindestens fünfundsiebzig.«

So kamen wir nicht weiter. »Erzählen Sie mir lieber von Anfang an, was passiert ist«, forderte ich ihn auf.

»Nun, die beiden Familien haben seit Generationen Streit miteinander. Die Sache hat um die Jahrhundertwende angefangen und seitdem nicht mehr aufgehört. Die Singletons hassen die Eisels, und die Eisels hassen die Singletons. Dabei weiß kein Mensch mehr, warum.«

»Wer hält wen gefangen?«

»Der alte Frank Eisel hat die jüngste Singleton ... Wie heißt sie gleich wieder?«

»Betty«, sagte Lansing. »Er ist vor zwei Stunden in den

Laden ihres Vaters marschiert und hat sie mitgenommen.«

»Sind Sie hier überhaupt zuständig, Sheriff? Feeley liegt mindestens zwanzig Meilen östlich von dieser Farm. Ist das kein Fall für die Highway Patrol?«

»Die Sache ist in meiner Stadt passiert.«

Ich hatte plötzlich einen Verdacht und fragte ihn: »Sie haben alles gesehen, stimmt's?«

Olbrick zuckte zusammen, als habe er einen unerwarteten Boxhieb einstecken müssen. »Ich hätte nichts tun können, ohne Betty Singleton zu gefährden.«

»Eisel hatte eine Schrotflinte«, warf Lansing ein.

Ich runzelte die Stirn. »Sie stellen sich im November zur Wiederwahl, Sheriff?«

Ich sah, wie er zustimmend nickte.

Eine scheußliche Situation. Ein betrunkener Sheriff und sein tölpelhafter Deputy hatten zugelassen, daß Betty Singleton in ihrer Gegenwart entführt wurde. Jetzt saßen sie in der Patsche – sie wagten nicht, offiziell Unterstützung anzufordern, weil die Sheriffwahl in knapp zwei Monaten stattfinden sollte. Ihre einzige Chance, sich ihre Posten erneut zu sichern, bestand darin, daß sie mehr zeigten, als sie in Wirklichkeit konnten, und die Entführte unverletzt befreiten.

»Was soll ich also tun?« erkundigte ich mich.

Olbrick ließ seine Zigarette fallen und trat sie aus. »Eisel hat Angst vor uns und läßt uns nicht in seine Nähe. Sie als Fremder dürfen vielleicht ins Haus.«

»Soll ich mit ihm reden?«

»Ich denke gerade an die Story, die in der Zeitung gestanden hat«, sagte Olbrick heiser. »Von dem Kerl, den Sie in St. Louis erschossen haben. Stimmt das?«

Ich konnte nicht leugnen; zu meinem Leidwesen hatte der *Feeley Clarion* diese Story gebracht, kurz nachdem Kobo und ich hierher umgezogen waren. »Ja«, sagte ich.

»Tragen Sie noch immer eine Waffe?«

»Nein.«

Olbrick zog einen Gegenstand aus dem Hosenbund und gab ihn mir. Ich erkannte einen Charter-Arms-Revolver Kaliber

32. Besonders eifrige Polizisten tragen ihn als zweite versteckte Waffe und imitieren damit Revolverhelden des Wilden Westens, die einen Derringer im Ärmel hatten.

»Sie können bestimmt noch schießen«, meinte Olbrick hoffnungsvoll.

»Sie zielen und schießen – *Sie*, Sheriff, nicht ich. Damit will ich nichts mehr zu tun haben. Ich bin pensioniert. Tut mir leid, Sheriff.«

»Vielleicht ist das die einzige Möglichkeit, Betty Singleton zu retten.«

Seine Nonchalance war zu dick aufgetragen, um echt zu wirken. Matt Olbrick war ein gerissener alter Knabe, das mußte man ihm lassen. Falls ich Betty Singleton freischoß, würde er sich als ihr Retter aufspielen. Falls ich versagte, so daß die Kleine den Tod fand, hatte er eine gute Ausrede parat: »Der verdammte Kerl hat mir dazwischengepfuscht.« Und wenn der verdammte Kerl dabei umkam, war Matty erst recht zufrieden. Das war ihm sogar lieber, denn in diesem Fall gab es keinen Zeugen für seine eigene Unfähigkeit mehr.

Der alte Matty wollte mich als wandelnde Zielscheibe vorschicken. Darauf konnte ich dankend verzichten. Ich gab ihm seinen Revolver zurück.

»Tut mir leid, Sheriff«, wiederholte ich. »Schießen müssen Sie schon selbst. Aber ich bin bereit, mit dem Mann zu reden.«

»Okay.«

Ich trat ins Scheinwerferlicht hinaus, fuhr mir mit der Zungenspitze über die Lippen und rief: »Mr. Eisel!«

Hinter dem Fliegengitter der Verandatür war eine Bewegung zu erkennen.

»Mr. Eisel, mein Name ist Grogan. Ich bin kein Polizist.« Ich hob die Arme. »Ich bin unbewaffnet. Kann ich mit Ihnen reden?«

Keine Antwort.

Ich näherte mich dem Haus – langsam und vorsichtig, wie ich mich einer scheuen Katze genähert hätte.

»Ich komme jetzt rein, Mr. Eisel!« rief ich.

Ich bewegte mich in einer bedrückenden Stille, die jeden Augenblick durch einen Schuß zerrissen werden konnte. Ich ging langsam weiter. Der Verandaboden knarrte. Ich blieb, stehen, öffnete die Tür und betrat einen Raum, dessen ganze Einrichtung aus einem alten Sofa, einem Stuhl, einem Tisch und einer auf dem Fußboden stehenden Petroleumlampe bestand. Die beiden hockten in einer Ecke auf dem Boden.

Ich kniff die Augen zusammen, um besser sehen zu können. Frank Eisel trug nur Unterhemd und Hose, so daß sein ausgemergelter Körper deutlich zu sehen war. Seine Hose war auffällig geflickt. Er war unglaublich häßlich.

»Guten Abend, Sir«, sagte ich und sah zu Betty Singleton hinüber. Sie verblüffte mich. Ich hatte ein pausbäckiges Milchmädchen erwartet — und sah jetzt ein ehemaliges Blumenkind: eine überschlanke junge Frau mit roten Sandalen, bestickten Jeans und Leinenbluse. Sie hatte lange braune Haare und war kreidebleich. Ihr Kinn wurde durch die Mündung einer doppelläufigen Schrotflinte hochgedrückt, auf deren Abzug Eisels Zeigefinger lag.

»Halt, das reicht!« befahl der Alte mir.

»Darf ich mich dazusetzen?« Ich kauerte in der Nähe der Tür nieder.

»Sag, was du zu sagen hast, und verschwinde!«

Ich zögerte. Ein falscher Anfang konnte dazu führen, daß der Kopf der jungen Frau von Schrotkugeln durchsiebt wurde. »Bettys Eltern machen sich große Sorgen«, begann ich.

»Lügner! Andy Singleton ist das völlig egal!«

»Er hat recht«, warf Betty ein. »Mein Alter bezahlt nicht einmal die Beerdigung. Das muß die Gemeinde übernehmen.«

»Bis dahin ist noch lange Zeit, hoffe ich.«

»Irrtum!« knurrte Eisel. »Die Hexe muß mich bis Tagesanbruch von ihrem Fluch befreien, dann erschieß ich sie.«

»Fluch?«

»Er hält mich für eine Hexe.«

»Das bist du auch«, sagte Eisel. »Du bist von zu Hause weggelaufen, um in der Stadt zu lernen. Damit hast du sogar geprahlt!«

»Das hab' ich nur so gesagt«, jammerte Betty. »Wenn die Leute mich geärgert haben.«

»Mr. Eisel, ich bin hier neu. Das verstehe ich nicht.«

»Sie hat's in New York gelernt.«

Ich sah zu Betty hinüber. »New York«, wiederholte ich. »East Village? West Village?«

»Oh, überall. Ich hab' mich einfach rumgetrieben, verstehen Sie. Ich bin Ende Juli zurückgekommen . . .«

»Und seitdem hab' ich Anfälle, bei denen ich falle und mich mit Schaum vor dem Mund auf dem Boden wälze.« Er brauchte irgendein Ventil; er mußte mit jemand darüber sprechen. Ich nickte ihm aufmunternd zu.

»Zu einer bestimmten Tageszeit?«

»Bei Sonnenuntergang. Ich sitze wie immer in meinem Schaukelstuhl – und dann kommt der Anfall, und ich liege plötzlich im Dreck. Jeden Tag!«

»Auch heute?«

»Nein. Weil ich die Hexe gefangen hab'.« Er verzog die Lippen zu einem zahnlosen Grinsen. Die Waffe in seiner Hand zitterte. Die Erinnerung an die Schmerzen drängte Frank Eisel dazu, einen Mord zu begehen. Obwohl die junge Frau unschuldig war, würde ihr Blut wie Opferwein vergossen werden, wenn ich es nicht schaffte, sie vorher zu retten. Hätte ich Olbricks Revolver mitnehmen sollen? Oder sollte ich versuchen, Eisel anzugreifen, um einen Karateschlag anzubringen, bevor er abdrücken konnte.

Das waren Gedanken, die eher zu dem brutalen Grogan von früher paßten. Der geistesgestörte, abergläubische Farmer und seine erschrockene Gefangene verschafften mir ein Chance. Wie wär's, wenn du dein Karma ein bißchen in entgegengesetzter Richtung beeinflussen würdest, Professor G.? Tue Gutes und sorge dafür, daß kein Blut vergossen wird. Vielleicht.

»Am besten verschwindest du jetzt«, sagte Eisel.

»Nur noch ein paar Minuten, Sir«, bat ich. »Haben Sie diese Symptome schon früher erlebt?«

»Symptome?«

»Die Bewußtlosigkeit und das Wälzen.«

»Ja, manchmal«, knurrte er. »Aber nicht regelmäßig.«

»Sind Sie jemals deswegen beim Arzt gewesen?«

»Von Quacksalbern halt' ich nichts.«

Ich hatte das Gefühl, der Lösung dieses Rätsels schon ganz nahe zu sein, und überlegte, was ich bisher wußte. Frank Eisels Anfälle waren seit Juli häufiger geworden und ereigneten sich in der Abenddämmerung, wenn er auf der Veranda in seinem Schaukelstuhl saß. Ich stellte mir die Situation vor: Eisel im Schatten in seinem Schaukelstuhl mit Blickrichtung nach Osten, die Sonne tief im Westen. Von seinem Platz aus konnte er den Hof mit der Windmühle sehen . . .

»Ich habe vorhin Ihre Windmühle bewundert«, sagte ich. »In Missouri sieht man selten eine.«

»Mein Sohn Jake hat sie gebaut«, antwortete er. »Nach anderen, die er in Europa gesehen hat, als er in der Army war. Jake ist jetzt tot.« Das alles leierte er ausdruckslos herunter.

Gut, er hatte die Windmühle, den Zaun, die Straße, das Tal und die Bleiraffinerie gesehen — die Schornsteine, die grauen Gebäude und die verzinkten Wellblechdächer. Dann hatte er seinen Anfall bekommen und sich mit Schaum vor dem Mund am Boden gewälzt. Nur heute nicht — das war der Faktor X. Warum nicht auch heute? Diese Frage konnte ich jetzt beantworten.

Aber der Alte würde mir meine Erklärung vermutlich nicht abnehmen, so daß ich ihn irgendwie entwaffnen mußte, obwohl das Rätsel zu meiner Zufriedenheit gelöst war.

»Mr. Eisel, ich habe in meiner Jugend auch Hexerei studiert. Ich erinnere mich an einen Zauberspruch, der Verwünschungen aufhebt, und möchte ihn an Ihnen ausprobieren.«

»Aber du bleibst, wo du bist!« warnte er mich.

»Er wirkt auch, wenn ich sitze. Ich muß nur ein bißchen weiter vorrücken.«

Zweifel und Hoffnung spiegelten sich auf seinem Gesicht. Die Hoffnung siegte.

»Aber keine Tricks!«

»Keine Tricks«, log ich.

Dann begann ich einen eintönigen Sprechgesang, den ich von Kobo gehört hatte: »*O mani padme hum.*« Jeder andere Satz wäre ebenso geeignet gewesen, denn es kam nicht auf den Text an. Während ich die Beschwörungsformel wiederholte, hob und senkte ich meinen Ellbogen rhythmisch vor der Lampe: hell, dunkel, hell, dunkel, hell ... »*O mani padme hum.*«

Frank Eisels Gesicht wurde angestrahlt, befand sich im Halbdunkel und wurde wieder erhellt. Sein Mund blieb offen, die Lider sanken herab und der Körper sank in sich zusammen, als lösten sich die Knochen auf. Hell, dunkel, hell, dunkel ... immer wieder.

Seine Hand ließ die Schrotflinte los, und die Waffe begann zu fallen. Ich richtete mich auf, warf mich nach vorn und bekam sie zu fassen. Dann erstarrte Eisel. Er verdrehte die Augen und stöhnte. Er kippte um, heulte laut, schlug mit Armen und Beinen um sich und hatte Schaum vor dem Mund.

»Großer Gott!« flüsterte Betty. »Er ist wirklich besessen.«

»Nein, er ist krank.«

Ich holte mein Schlüsseletui aus der Tasche und zwängte es Eisel zwischen die Zähne, um zu verhindern, daß er sich seine Zunge abbiß.

»Der Sheriff ist draußen. Er soll über Funk einen Arzt anfordern.«

Betty hastete hinaus. Ich saß auf Eisels Beinen, hielt seine Arme fest und ignorierte den Widerwillen, den sein schmutziger alter Körper in mir auslöste. Die Krämpfe ließen allmählich nach. Schließlich hörte ich in der Ferne die Sirene eines Krankenwagens und stand auf. Mein Pullover war schweißnaß.

Die Verandatür wurde aufgerissen. »Alles in Ordnung?« fragte Matt Olbrick. Er hielt seinen Dienstrevolver unsicher in der Hand.

»Wen wollen Sie erschießen — Eisel, mich oder beide?«

»Niemand«, murmelte er.

»Zwei Leichen wären schwer zu erklären, was?«

»Sie haben mir einen Gefallen getan, den ich Ihnen nicht vergessen werde.«

»Hoffentlich nicht!«

Ärger und Verachtung wurden übermächtig, und ich war sekundenlang wieder der alte Grogan. Ich ging zur Tür und stieß den Sheriff absichtlich grob beiseite, als er mir nicht gleich Platz machte.

Zu Hause mixte ich mir in der Küche einen Martini und nahm das Glas mit ins Schlafzimmer. Kobo wachte auf.

»Wie war's, Rafe?«

»Mies. Ich mußte bei einem alten Mann einen epileptischen Anfall hervorrufen und einen Sheriff beleidigen.«

»Noch was?«

»Vielleicht habe ich einem Mädchen das Leben gerettet.«

»Erzählst du mir davon?«

Ich berichtete, was passiert war. Als ich fertig war, meinte Kobo nachdenklich: »Ich verstehe nur nicht, was Eisels Anfälle hervorgerufen hat. Die gleichmäßige Bewegung?«

»Nein, ein Blinken. Manche Epileptiker bekommen davon Anfälle.«

»Und woher ist dieses Blinken gekommen?«

»Erinnerst du dich an das Terrain, das ich beschrieben habe? Eisel hatte die Windmühle vor sich.«

»Aber die Sonne hat hinter ihm gestanden.«

»Richtig — sie hat genau auf die neuen Wellblechdächer der Fabrik geschienen. Das reflektierte Licht ist durch die Windmühlenflügel zerhackt worden. Heute ist der Anfall ausgeblieben, weil der Himmel bedeckt war. Ich vermute, daß diese unerwartete Besserung seines Zustands Eisel dazu gebracht hat, Betty zu entführen. Er muß zum erstenmal wieder Mut geschöpft haben.«

»Und du hast diesen Blinkeffekt mit der Lampe imitiert.«

»Ganz recht. Das geringere Übel.«

»Prima.«

Ich leerte mein Glas und zog mich aus.

»Rafe?«

»Hmm.«

»Du hast dein Karma heute abend günstig beeinflußt.«

Ich schlief gut.

Die unsichtbare Zeugin

von
Anthony Gilbert

Ich wurde ursprünglich auf die alte Frau aufmerksam, weil sie im Park stets auf der gleichen Bank saß. In die Rückenlehne war eine Kupfertafel mit folgender Inschrift eingelassen:

Zur Erinnerung an
Mrs. CHARLOTTE RACE,
die diesen Park liebte

Im Phillimore Park tragen zahlreiche Bänke ähnliche Inschriften zur Erinnerung an die vielen alten Leute, die in ihren letzten Jahren an jedem sonnigen Tag auf den Parkbänken gesessen haben. Diese eine Frau unterschied sich kaum von allen anderen; sie trug einen schwarz-weißen Tweedmantel, einen Filzhut mit breiter Krempe und einen langen dunkelroten Schal – das Geschenk eines längst gestorbenen Neffen, wie sie mir erzählte.

Sie hatte eine große schwarze Lederhandtasche neben sich stehen, die vermutlich die Mehrzahl ihrer irdischen Besitztümer enthielt, und unterschied sich dadurch von den anderen, daß sie nie Zeitung las oder strickte, um sich die Zeit zu vertreiben. Sie saß mit den Händen im Schoß unbeweglich da; nur ihre Augen bewegten sich.

Eines Nachmittags, als sie allein auf der Bank saß, nahm ich am anderen Ende Platz und faltete meine Zeitung auseinander. Bei schönem Wetter ging ich oft durch den Park zu meiner U-Bahnstation; als freiberuflicher Journalist konnte ich mir meine Zeit selbst einteilen. An diesem Nachmittag war ein ganzer Taubenschwarm auf dem Asphaltweg eingefallen, wo die Vögel gurrend auf und ab stolzierten. Eine Taube, die besonders rundlich war, erinnerte mich an meine Tante Selina, die mit Kopftuch und purpurrotem Umhang in die Kirche gegangen war.

Ich hatte eben erst zu lesen begonnen, als die alte Frau sich zu mir hinüberbeugte.

»Können Sie mir sagen, wie spät es ist?«

Ich antwortete, es sei halb vier.

Sie lehnte sich lächelnd zurück. »Dann kann ich noch ein bißchen bleiben«, murmelte sie.

Ich nahm an, daß sie sich um vier Uhr mit irgend jemand treffen wollte. Ich fragte mich allerdings, mit wem sie verabredet sein konnte – außer mit dem Tod, der eines Tages seine Verabredung einhalten würde.

Einen Augenblick später wandte sie sich erneut an mich. »Das sind so gierige Vögel, nicht wahr?« Sie zeigte auf die Tauben. »Wenn man ein bißchen Brot für die Spatzen oder Enten mitbringt, bekommen es immer die Tauben.«

»Nicht die Möwen?« fragte ich. Ich weiß nicht, warum ich mich in ein Gespräch verwickeln ließ. Aber es war ein schöner Nachmittag, und ich hatte ein paar Minuten Zeit. Ich beobachtete am liebsten die Möwen, wie sie segelten, herabstießen und mit ihrer Beute in die Höhe stiegen.

»Nein, nur wenn man das Futter in die Luft wirft«, antwortete die alte Frau ernsthaft. »Und das tue ich nie. Ich bringe natürlich nie viel mit«, fügte sie hinzu. »Ich bin dagegen, Lebensmittel zu vergeuden, aber manchmal ein Stück Brotrinde ... mehr kann man sich nicht leisten, wenn man mit einer kleinen Rente auskommen muß.«

»Ich weiß überhaupt nicht, wie man davon leben kann. Es sei denn, man hat Freunde und Verwandte, die ein bißchen aushelfen.« Ich meinte damit Kinder; sie trug einen blankgewetzten Ehering. Ich hatte nicht das Gefühl, daß sie mich anbetteln würde. Danach sah sie nicht aus.

»Ich komme mit meiner Rente einigermaßen zurecht«, erklärte sie mir. »Fleisch kann ich mir natürlich nie leisten. Bei den heutigen Preisen ist das ausgeschlossen. Wenn die Leute sich nur endlich weigern würden, überhöhte Preise zu bezahlen, würde das Fleisch wieder billiger.«

Sie schien zu glauben, ich würde unruhig, denn sie wechselte rasch das Thema und sprach davon, wie glücklich sich die Londoner schätzen könnten, diese herrlichen Parks zu haben.

»Ich gehe manchmal zum Teich hinüber«, sagte sie. »Die Schwäne vom letzten Jahr sind jetzt so groß wie ihre Eltern. Wunderschöne Vögel. Und wissen Sie, daß die chinesischen Gänse letztes Jahr Küken ausgebrütet haben? Gäbe es keine Parks, müßten wir nach China reisen, um so etwas zu sehen.«

Einige Minuten später sagte sie, sie müsse jetzt nach Hause. »Ich mache mir um vier Uhr eine Tasse Tee«, vertraute sie mir an. »Sobald man aufhört, regelmäßig zu leben, geht's mit einem bergab, finde ich. Wenn man nur noch sich selbst zu versorgen hat, muß man aufpassen, damit man nicht schlampig wird.«

Als sie nach ihren Handschuhen griff, sah ich, daß ihre Hände mit den rotlackierten Fingernägeln sorgfältig gepflegt waren. Und sie war unter dem breitkrempigen Filzhut gut frisiert.

Du wirst bestimmt nie schlampig, dachte ich. Und dann beschäftigte ich mich wieder mit meiner Zeitung. Die alte Frau war nur eine der vielen Gestalten, die hier im Park in der Sonne saßen. Ich wußte nicht einmal, wie sie hieß.

Ich sah sie einige Tage später wieder, als sie erneut allein auf ihrer Bank saß. Sie lächelte und erzählte mir, sie habe beobachtet, wie ein junger Pudel mit einem Schwan zu spielen versuchte.

»Der Kleine hat gar nicht gewußt, wie gefährlich das für ihn war«, sagte sie. »Er war eben noch zu jung. Ein Schwan könnte einen so kleinen Hund glatt ertränken. Und der Pudelbesitzer hat gar nichts gemerkt. Ich hab' gekreischt, und der Schwan ist weggeschwommen — und dann ist der Besitzer hergekommen. Er hat mich für übergeschnappt gehalten, glaube ich. Alle haben mich für übergeschnappt gehalten.«

Ich murmelte etwas davon, daß Schwäne in der Brutzeit unberechenbar gefährlich seien.

»Eigentlich grausam, wie Tiere ihre Erfahrungen machen müssen, nicht wahr?« meinte sie. »Der kleine Pudel wollte nur spielen.« Sie beobachtete einen Mann, der an uns vorbeiging, und lächelte verschmitzt.

»Sehen Sie den?« fragte sie mich. »Ich nenne ihn Mr. Erpel. Wie er geht – sehen Sie?«

Ich hätte bestimmt nicht darauf geachtet, aber sie hatte völlig recht. Der Mann watschelte tatsächlich wie eine Ente.

»Sie sind eine gute Beobachterin«, lobte ich sie.

»Das ist sozusagen mein Hobby. Er kommt jede Woche drei-, viermal vorbei. Solche kleinen Angewohnheiten heben die Menschen aus der Masse heraus und lassen sie zu Individualisten werden. Manche wären bestimmt überrascht, wenn sie ahnten, wie viel ich von ihnen weiß.«

Danach traf ich sie noch ziemlich häufig. Manchmal saß sie neben irgendeiner anderen alten Frau auf der Bank, sah dann nur auf und lächelte mir zu. Meistens saß sie allein dort, aber sie wirkte nie einsam. Sie fühlte sich als Teil eines großen Ganzen, nehme ich an. Ich fragte mich, welche Geschichten sie sich über andere Passanten zurechtlegte.

Ich gewöhnte es mir an, mich ein paar Minuten zu ihr zu setzen, wenn sie allein war, obwohl ich zunächst nicht sonderlich viel über sie erfuhr, nur daß sie in einem großen Apartmenthaus in Parknähe ein Zimmer hatte, in dem sie selbst kochen konnte, während sie Bad und Toilette nur mitbenutzte. Das war das Los Tausender von alten Menschen, die keine Angehörigen mehr hatten. Aber sie beklagte sich nie. Einmal sprach sie davon, wie schön es wäre, gelegentlich in einem Restaurant essen zu können; aber mit ihrer kleinen Rente konnte sie sich das natürlich nicht leisten.

Als ich sie besser kennenlernte, kamen weitere Einzelheiten hinzu. Sie war verwitwet, und ihr Mann hatte ein kleines Lebensmittelgeschäft gehabt, mit dem er Pleite gemacht hatte. Als er kurz danach gestorben war, hatte sie als Verkäuferin gearbeitet. Das hatte ihr gefallen – wegen der vielen Leute. Jetzt war sie siebzig, genoß ihre Ruhe und fand immer nette

Menschen, mit denen sie reden konnte. Sie sprach nie von einem Kind; hätte sie selbst Kinder gehabt, hätte sie sie bestimmt erwähnt.

Ich bot ihr einmal eine Zeitung an, aber obwohl die alte Frau sie dankend annahm, legte sie die Zeitung neben sich auf die Bank. Die Passanten waren ihre Zeitung – »und dann habe ich mein kleines Radio. Das hält mich auf dem laufenden.« Manchmal ging sie auch in die Bücherei, aber das war ein ziemlich weiter Weg – »und außerdem«, fügte sie hinzu, »interessieren mich eigentlich nur Menschen. Ich meine, man kann nichts gegen Streiks und Preissteigerungen tun, aber Menschen sind immer wirklich. Nach einiger Zeit erkennt man sie wieder, obwohl meine Augen nicht mehr so gut wie früher sind. Aber ich höre noch ausgezeichnet. Manche Gesprächsfetzen, die man auf diese Weise mitbekommt ... nun, da wundert man sich oft wirklich. Und solche Leute sind dazu noch oft mit Hunden oder Kindern unterwegs. Ich kenne zum Beispiel ein Frau, die manchmal hier vorbeikommt – sie hinkt etwas und geht an einem Stock, dessen Griff ein geschnitzter Hundekopf ist. Ich denke mir gelegentlich: Du hast wahrscheinlich noch nie auf mich geachtet, aber nehmen wir einmal an, du hättest Schwierigkeiten mit der Polizei – du müßtest nachweisen, wo du um die und die Zeit gewesen bist und könntest nur sagen, du seist spazierengegangen –, dann könnte ich dir vielleicht ein Alibi liefern. Aber mich würde natürlich niemand fragen; ich bin die unsichtbare Zeugin.«

Dabei lachte sie. Ihr Lachen war sympathisch.

Ein weiterer Parkbesucher, der oft neben meiner Bekannten auf der Bank saß, war ein alter Vagabund in einem durchlöcherten schwarzen Mantel und einem uralten Hut, den er einer Vogelscheuche gestohlen haben mußte. Er schleppte stets einen Rucksack voller Büchsen, Essen und aus Mülltonnen gesammelten Gegenständen mit sich herum, den er auf der Parkbank auspackte, um zu verhindern, daß dort noch jemand Platz nahm. Die alte Frau sprach einmal von ihm.

»Ich möchte nicht, daß Sie mich für überängstlich halten«,

sagte sie, »aber ich habe manchmal wirklich Angst, daß er sich eines Tages dichter neben mich setzen könnte. Er sieht mich oft so komisch an ... richtig unheimlich, sage ich Ihnen!«

»Er tut Ihnen bestimmt nichts«, beruhigte ich sie. »Schließlich sind hier überall Leute in der Nähe.«

»Was könnte ich sagen, wenn er Geld von mir verlangen würde? Ich habe wirklich keines, aber wenn man ein bißchen darauf achtet, anständig auszusehen, glaubt einem das kein Mensch. Neulich ist eine alte Dame mitten in der Stadt überfallen worden, nur weil sie ein paar Pfund in ihrer Handtasche hatte. Sie hatte sich eine Steppdecke kaufen wollen, für die sie monatelang gespart hatte. Und der Täter ist nie gefaßt worden.«

Ich versicherte ihr, sie rege sich unnötig auf, obwohl mir der alte Vagabund selbst nicht ganz geheuer war.

»Wenn Sie wirklich nervös sind, würde ich mich an Ihrer Stelle auf eine Bank setzen, wo schon jemand sitzt«, schlug ich ihr vor. Aber sie schüttelte den Kopf.

»Oh, das könnte ich nicht! Dies hier ist sozusagen mein eigener Platz, mein Stammplatz, wissen Sie. Manchmal frage ich mich, ob ich sie je gesehen habe – Charlotte Race, meine ich. Ich könnte sogar mit ihr gesprochen haben. Damals war hier natürlich noch keine Plakette angebracht. Und man stellt sich nie mit Namen vor. Aber ich vermute, daß sie ebenfalls Witwe war – eine verheiratete Frau hat gar keine Zeit, hier herumzusitzen. Wahrscheinlich hat sie die Bäume und die Vögel wie ich gerngehabt – und manchmal ein bißchen Gesellschaft. Ich habe manchmal fast das Gefühl, sie neben mir zu spüren. Auf diese Weise bin ich nie einsam.«

Wenn ihr Platz besetzt war, fand ich sie am Teich, wo die Kinder ihre Schiffe schwimmen und ältere Herren ihre Drachen steigen ließen. Das brachte sie zum Lachen.

»So ernsthaft«, sagte sie. »Man könnte glauben, hier ginge es um irgendeinen Preis. Einer hat einen Drachen, der in der Luft wie ein großer Raubvogel aussieht. Den beobachte ich gern. Vielleicht ist sein Besitzer früher Förster gewesen.«

Wenn ich nicht in den Park ging, dachte ich auch nicht an

sie; die alte Frau gehörte dorthin, und was mich betraf, existierte sie außerhalb des Parks überhaupt nicht. Ich bewunderte ihren Lebensmut und wünschte mir oft, ich könnte ihr helfen; aber ich hatte selbst Sorgen wie wir alle und mußte mich damit herumschlagen.

Der Sommer war kühl, so daß sie weiter den schwarz-weißen Tweedmantel trug und sich den roten Schal umband.

»Eigentlich merkwürdig«, meint sie einmal, »daß Humphrey, der mir diesen Schal geschenkt hat, nun schon so viele Jahre tot ist, während ich noch immer lebe.«

Es geschah in diesem nassen Juli: ein Ereignis, das die ganze Umgebung in Aufregung versetzte, obwohl die überregionalen Zeitungen kaum mehr als eine kurze Meldung darüber brachten. Wo es von Kriegen, Kriegsgerüchten, Streiks, Verbrechen und Krisen zu berichten gab, besaß der Tod einer kleinen Nutte nicht viel Nachrichtenwert. Außer an dem Ort, wo die Tat verübt worden war. Dort spielte das persönliche Element eine Rolle, wie meine alte Bekannte bemerkte. Er hätte auch mich erwischen können, sagte sie und drückte damit die vorherrschende Meinung aus.

Die Leiche der jungen Frau war in einer kleinen Gartenanlage entdeckt worden, die vor über hundert Jahren innerhalb des großen Parks für eine Prinzessin angelegt worden war. Im Frühling und Sommer war dieser Garten bei schönem Wetter ein beliebtes Touristenziel. Auf einem Teich schwammen weiße Enten zwischen Seerosen und Wasserlilien, wie ich sie noch nirgends so prächtig gesehen habe.

An drei Seiten des Gartens standen verschwiegene Lauben, um die sich dichter Efeu rankte. In einer dieser Lauben war die Leiche der jungen Frau entdeckt worden. Der Nachmittag des vorigen Tages war düster und regnerisch gewesen, und bei Gewitter wirkte der kleine Garten eher unheimlich.

An einem solchen Nachmittag suchte ich vor einem plötzlich aufziehenden Gewitter Schutz in einer der Lauben und begegnete dort meiner alten Bekannten. Sie trug einen großen grauen Regenmantel mit viel zu langen Ärmeln.

»Ich finde es sehr tapfer von Ihnen, daß Sie sich bei diesem Wetter ins Freie wagen«, erklärte ich ihr. »Tapfer und leichtsinnig.«

»Es war noch besser, als ich weggegangen bin«, antwortete sie. »Ich habe Sie seit ein paar Tagen nicht mehr gesehen.«

»Ich komme nicht regelmäßig her wie Sie«, wandte ich ein. »Wenn das Wetter schlecht aussieht, fahre ich mit dem Bus oder der U-Bahn.«

»Man kann nicht ewig nur mit sich selbst allein sein«, vertraute sie mir an. »Und ich kann in meinem winzigen Zimmer nicht einmal einen Vogel halten. Ich stelle mir gern vor, daß Charlotte Race sich auch nichts aus ein bißchen schlechtem Wetter gemacht hätte.«

Das war vor einer Woche gewesen. Und nun war keine hundert Meter von dieser Laube entfernt eine Frau ermordet worden – mit ihrem eigenen Halstuch erdrosselt, wie die Zeitungen berichteten. Einer der Parkwächter hatte die Tote morgens gefunden. Er war am Abend zuvor mit dem Ruf »Torschluß! Torschluß!« durch den Park gegangen, und soviel er wußte, hatte niemand den Garten verlassen. Wegen des Gewitters war der Park ohnehin fast leer gewesen, so daß er sich nicht die Mühe gemacht hatte, einen Blick in den Garten zu werfen. Er hatte genügend andere Pflichten, und woher hätte er schließlich auch wissen sollen, daß dort ein Mord verübt worden war?

Die Reporter brachten einiges über die Ermordete in Erfahrung: Thelma Hughes, verheiratet, in Trennung lebend, 29 Jahre alt, wohnhaft in Marylebone. Sie hatte im Hotel Bayswater gearbeitet, am fraglichen Tag ab 15 Uhr dienstfrei gehabt und das Hotel erst etwas später verlassen – anscheinend, um eine Verabredung einzuhalten. Das anfangs noch schöne Wetter hatte sich plötzlich verschlechtert, aber das folgende Gewitter hatte alle überrascht. Dunkle Wolken waren aufgezogen, der Wind hatte geheult, Blitze waren herabgezuckt; später hatte es zu regnen begonnen, aber die Kleidung der Toten war trocken gewesen. Sie mußte also vor Ausbruch des Gewitters ermordet worden sein.

An einem düsteren Nachmittag dieser Art herrschte in dem kleinen Garten ein merkwürdiges Zwielicht, und die Tote hatte wie schlafend in einer Ecke gesessen. Niemand hätte sie gestört oder versucht, sie anzusprechen. Das Tatmotiv war unklar; jedenfalls war es kein Raubmord gewesen, denn ihre Handtasche, die etwa zehn Pfund enthielt, stand unberührt neben ihr, und sie hatte Ringe an beiden Händen und eine Perlenkette um den Hals. Auch ein Sexualverbrechen schied offenbar aus. Sie mußte ein Treffen an diesem Ort vereinbart haben, weil man dort ungestört war. Aber wenn man die Welt auf diese Weise ausschließt, ist man auch von ihr abgeschlossen.

Das Hotel, in dem sie gearbeitet hatte, konnte kaum weitere Auskünfte geben; sie war vor etwas über einem Jahr hierher gekommen, nachdem sie in einem bekannten Hotel an der Westküste gearbeitet hatte. Niemand wußte, ob sie Freunde hatte, denn sie war sehr schweigsam gewesen, wenn es um persönliche Dinge ging. Selbst von ihrem Mann war nicht bekannt, ob er noch lebte oder sich in England aufhielt. Die Polizei ließ natürlich eine Suchanzeige in die Zeitung setzen, aber er meldete sich nicht. Insgesamt gesehen war die Ermordete eine Frau voller Geheimnisse, für die sich bisher nur niemand interessiert hatte.

Zwei Tage nach dem Mord hastete ich am Spätnachmittag durch den Park; der Himmel war bewölkt, und ich wollte nicht naß werden. Meine alte Bekannte saß nicht auf ihrem gewohnten Platz, aber zu meiner Überraschung fand ich sie am Teich. Unter dem Schutzdach entstand ein windgeschützter Winkel, wie sie mir erklärte. Als sie mich sah, sprang sie auf und kam mir entgegen.

»Ich habe so gehofft, daß Sie kommen würden!« rief sie aus. »Sie waren gestern nicht hier.«

»Ich war in anderen Stadtteilen unterwegs«, erklärte ich ihr. »In letzter Zeit habe ich scheußlich viel zu tun, wissen Sie.«

Ich schüttelte vorwurfsvoll den Kopf. »Hier holen Sie sich noch eine Lungenentzündung.«

»Ich wollte unbedingt mit Ihnen sprechen«, sagte sie. »Ich brauche einen Rat und weiß nicht, wen ich sonst darum bitten sollte.«

Ich sah mich um, weil sie lauter als sonst sprach, aber alle übrigen Parkbesucher waren vor dem drohenden Gewitter geflüchtet, so daß wir diesen Teil des weitläufigen Geländes für uns allein hatten. Auf dem Wasser kämpften nur wenige Enten gegen den Wind an, und die würdigen Gentlemen mit den Drachen waren längst gegangen.

»Ich konnte die anderen schlecht fragen«, fügte sie hinzu.

Ich wußte, daß sie ihre Mitmieter meinte.

»Wonach?« erkundigte ich mich.

»Was ich tun soll. Wegen der armen jungen Frau.«

»Welcher armen jungen Frau?« Im ersten Augenblick begriff ich nicht, was sie meinte.

»Natürlich die, die hier im Garten ermordert aufgefunden worden ist. Davon müssen Sie doch gehört haben! Die Meldung ist sogar im Radio gekommen.«

»Ach, die meinen Sie«, murmelte ich langsam. »Aber ich verstehe nicht ganz, was Sie damit zu tun haben. Wenn Sie fürchten, Sie könnten das nächste Opfer des Mörders werden, brauchen Sie nur einen großen Bogen um den Garten zu machen und ...«

Sie war nahe daran, mich in ihrer Aufregung an den Armen zu packen und zu schütteln. »Nein, nein, Sie wissen nicht, was ich meine! Ich habe ihn gesehen!«

Das verblüffte mich. »Sie haben ihn gesehen? Wollen Sie das wirklich behaupten? Wen haben Sie gesehen?«

»Das weiß ich nicht. Aber er muß der Mörder gewesen sein.« Sie beruhigte sich etwas und konnte zusammenhängend berichten. »Sie wissen doch, wie schnell das Gewitter an diesem Nachmittag aufgezogen ist. Ich war hier am Teich, um den Schwänen zuzusehen, aber dann ist es plötzlich dunkel geworden, und weil ich dachte, ich würde nicht mehr trocken nach Hause kommen, bin ich in den Garten gegangen, um dort Schutz zu suchen.«

»Ja?« ermutigte ich sie.

»Und dort habe ich sie gesehen.«

»Langsam!« forderte ich sie auf. »Wen haben Sie gesehen? Zwei Leute im Garten. Sie waren bestimmt nicht die einzigen.«

»Nein, nur diese beiden. Ich bin durch den Garten spaziert, habe die Blumen bewundert, bin um eine Ecke gebogen und habe die beiden in der hintersten Laube sitzen gesehen. Ich dachte zuerst, sie seien ein Liebespaar, das eine kleine Auseinandersetzung hat, was bei jungen Leuten schließlich ganz natürlich ist, und wollte schon weitergehen, weil ich es schäbig finde, andere Leute zu belauschen, als ich gehört habe, wie sie ... «

Sie machte eine Pause und holte tief Luft.

»Sie haben sie also reden gehört?« erkundigte ich mich.

»Ja. Aber das war ganz unfreiwillig. Wenn jemand in meiner Nähe gewesen wäre, hätte er es auch hören müssen. Sie hat gesagt: ›Es hat keinen Zweck, Gerald. Ich hab' dich einfach in der Hand.‹ Ich habe zuerst angenommen ... « Sie zögerte.

»Was haben Sie angenommen?«

»Nun, ich dachte, sie sei dabei, ihm zu sagen, daß sie ein Kind von ihm erwartete, so daß sie heiraten müßten. So etwas liest man manchmal.«

»Aber in der Zeitung hat nichts davon gestanden, daß sie schwanger gewesen sei«, wandte ich ein.

»Ja, das ist mir auch aufgefallen. Aber ... oh, Sir!« Sie hatte mich nie Sir genannt und sich noch nie wie jetzt an meinen Arm geklammert. »Das war kein Streit unter Liebenden. Ich kenne die Stimme der Liebe, selbst wenn man eine Auseinandersetzung hat, aber das war etwas ganz anderes. Sie war ihm gefährlich.«

»Da er sie ermordet zu haben scheint ... «, begann ich. Dann machte ich eine Pause. »Haben Sie ihn gesehen?«

Sie schüttelte den Kopf. »Nein, ich bin weggegangen.«

»Woher wollen Sie dann wissen, daß Sie das richtige Paar gesehen haben? Ich möchte wetten, daß an diesem Nachmittag viele Leute im Garten waren.«

»Der erste Blitz hat sie in grelles Licht getaucht. Dabei habe ich die kleine goldene Kappe gesehen, die sie getragen hat — die Zeitungen haben sie ausführlich beschrieben, weil die Polizei hoffte, jemand würde sich daran erinnern. Oh, sie war die junge Frau, die dann ermordet worden ist, davon bin ich überzeugt. Ich wollte Sie nur fragen, was ich jetzt tun soll? Ich meine, soll ich zur Polizei gehen? ›Laß dich nie mit der Polizei ein, Alice‹, hat mein Mann immer gesagt. Dadurch bekommt man nur Scherereien, glaube ich.«

»Aber wenn Sie wissen, wer er ist ...«, meinte ich zweifelnd.

»Ich habe das Gefühl, ihn von irgendwoher zu kennen, aber ich sehe natürlich so viele Leute, die sich alle irgendwie ähnlich sind. Ein Hund oder ein Kind ist etwas anderes — oder ein Original wie der alte Vagabund. Und ich weiß, daß es bei jedem sensationellen Mordfall Leute gibt, die sich ins Rampenlicht drängen.«

»Sie wollen nicht ins Rampenlicht«, stellte ich fest.

»Ich will meine Bürgerpflicht erfüllen. Der Täter muß sich hier auskennen, sonst hätte er nie den Garten als Treffpunkt vorgeschlagen.«

»Es sei denn, sie hätte sich dafür entschieden.«

»Daran hatte ich nicht gedacht«, gab sie zu. »Ich habe gehofft, wir würden uns früher treffen ... Wenn ich bei mir im Haus darüber sprechen oder auch nur die Polizei erwähnen würde, hätte ich bald die Kündigung auf dem Tisch. Oh, ich weiß, daß es einen gesetzlichen Schutz vor ungerechtfertigten Kündigungen gibt, aber wer sich ein bißchen auskennt, findet leicht einen Grund. Sie brauchen nur zu behaupten, man könne nicht mehr für sich selbst sorgen.«

Ich stellte sie mir auf irgendeinem Polizeirevier vor, wo ein junger Beamter sich ihre Geschichte anhörte und sie wahrscheinlich für eine alte Klatschbase hielt. Aber die Zeitungen würden ihre Aussage vielleicht aufgreifen.

»Glauben Sie, daß Sie ihn wirklich gut genug gesehen haben?« erkundigte ich mich. »Sie haben ihn jedenfalls nicht sprechen gehört.«

»Ich habe seitdem oft darüber nachgedacht, an wen er mich erinnert hat. Aber ich bin nicht stehengeblieben«, fuhr sie rasch fort. »Das Gewitter hatte eingesetzt, und ich wollte so schnell wie möglich nach Hause. Das geht dich nichts an, habe ich mir gedacht, manche Leute streiten sich eben, und du erntest keinen Dank, wenn du dich da einmischst.« Sie holte tief Luft. »Ich meine, ich hätte doch nichts tun können, nicht wahr? Ich konnte nicht wissen, wie alles enden würde – aber ich glaube jetzt, daß es vielleicht nicht zu dem Mord gekommen wäre, wenn sie gewußt hätten, daß ich in der Nähe war.«

»Damit dürfen Sie sich jetzt nicht quälen«, wehrte ich ab. Wir hatten uns in Bewegung gesetzt, verließen den Teich und gingen auf ihr Tor zu. Das Donnergrollen im Hintergrund wurde plötzlich lauter. Ich spürte, wie sie zusammenzuckte.

»Donner hat mir schon immer Angst gemacht«, sagte sie. »Meine Mutter hat mir erklärt, er entstehe, wenn Engel streiten. Und ich hätte Sie nicht belästigen dürfen. Ich müßte selbst wissen, was ich eigentlich will. Das hätte William gesagt ... William war mein Mann. Heute abend unternehme ich nichts mehr. Ich will nach Hause, bevor der Regen anfängt, und mir die Sache bis morgen früh überlegen. Meine Mutter hat immer gesagt, bei Tagesanbruch sehe alles klarer aus, bevor die Gedanken sich verwirren könnten. Ich muß darüber nachdenken, und morgen früh weiß ich bestimmt, was ich zu tun habe.«

Ich hörte in der Ferne den Aufseher rufen: »Torschluß! Torschluß!« Ich sah mich um. Wir hatten den Park buchstäblich für uns allein.

»Oh, ich möchte nicht eingesperrt werden«, sagte Alice. »Ich laufe gleich durch das Wäldchen – das ist eine Abkürzung.«

»Vorsichtig!« mahnte ich.

Ich sah, wie sie im feuchten Gras rutschte.

»Alles in Ordnung!« rief sie mir zu. »Um mich brauchen Sie sich keine Sorgen zu machen.«

Sie verschwand wie ein seltsames Gespenst unter den dunklen Bäumen.

Ich erreichte das Nordtor, als es eben abgeschlossen werden sollte. Inzwischen goß es in Strömen, und ich konnte nicht hoffen, irgendwo ein Taxi zu finden, während die Busse selbstverständlich überfüllt waren. Ich erinnerte mich an die Stimme meiner alten Bekannten.

Bei Tagesanbruch sieht alles klarer aus ...

Als ich am nächsten Morgen aufwachte, hatte die Welt sich völlig verändert. Die Sonne schien, der Himmel war blau, alles sah wie frischgewaschen aus. Ich benützte meine Abkürzung durch den Park, aber dort saß keine Alice – wie hieß sie mit Nachnamen? Man stellt sich nie mit Namen vor, hatte sie gesagt. Die alten Leute achteten peinlich auf Distanz. Aber Charlotte Races Platz war besetzt: von dem alten Vagabunden, der seinen Rucksack auspackte und dabei tückisch vor sich hingrinste.

Ich ging an ihm vorbei, ohne seinen Blick zu erwidern. Sie war auch nicht am Teich, obwohl dort bereits Kinder unter Aufsicht ihrer Mütter oder Au-pair-Mädchen spielten, während die ersten Männer mit Drachen eintrafen. Jemand ging pfeifend an mir vorbei. Ich erkannte die Melodie. Das Lied war schon in meiner Kindheit alt gewesen: *Alice, where are you?* Mir fiel wieder ein, daß ich ihren Nachnamen noch immer nicht kannte.

Ich erfuhr ihn jedoch am gleichen Abend. Ich hatte einen anstrengenden Tag hinter mir und ließ mich auf dem U-Bahnhof mit dem Strom der Fahrgäste treiben, die am Zeitungsstand Abendzeitungen kauften. Dort stand kein Verkäufer, dort hatte noch nie einer gestanden. Die Leute legten einfach ihr Geld hin und bedienten sich. Ich hatte noch nie gesehen, daß jemand eine Zeitung nahm, ohne dafür zu bezahlen, oder daß jemand sich an dem herumliegenden Kleingeld vergriffen hätte. Ein merkwürdig ehrlicher Zug bei Leuten, die sonst nicht übermäßig rücksichtsvoll sind.

Der Mann vor mir legte sein Geld hin und nahm sich eine Zeitung. Mir sprang die Schlagzeile förmlich ins Gesicht:

WIEDER EIN PARKMORD

Zweites Opfer erwürgt aufgefunden

Ich fand ein Geldstück in der Jackentasche, warf es hin und nahm mir eine Zeitung.

Eine ältere Frau, die als Mrs. Alice Calcraft identifiziert worden ist, wurde heute in den frühen Morgenstunden in dem Wäldchen am Nordtor des Phillimore Parks tot aufgefunden. Mrs. Calcraft, eine Rentnerin aus London W. 8., war mit ihrem eigenen Schal erdrosselt worden. Dies ist der zweite Fall innerhalb von 48 Stunden, bei dem eine Frau im Phillimore Park ermordet worden ist. Die Polizei rechnet mit der Möglichkeit, daß ein gemeingefährlicher Geisteskranker aus einer Anstalt ausgebrochen ist und in London sein Unwesen treibt.

Danach folgte eine Warnung, in der Frauen aufgefordert wurden, gegen Einbruch der Dunkelheit die Parks zu meiden.

Ich stand wie versteinert da. Menschen hasteten an mir vorbei. Der Zeitungsstapel nahm rasch ab.

Alice Calcraft, dachte ich. So hat sie also geheißen. Eine harmlose, unschuldige alte Frau — aber das stimmte nicht mehr. Nicht harmlos, nicht unschuldig. Sie hatte gehört, wie eine erpresserische kleine Schlampe das Leben eines Mannes bedroht hatte, denn darauf wäre die Sache hinausgelaufen: eine jahrelange Abhängigkeit, die schließlich zum Ruin führte ... Oh, es gibt Dinge, die man einfach nicht riskieren darf. Und wegen dieser wenigen Worte hatte sie ihr Leben verwirkt.

Eine Hand legte sich auf meinen Arm. Ich zuckte erschrokken zusammen.

»Was hast du, Gerald?« fragte jemand. Ich hob den Kopf und erkannte einen Freund aus der Fleet Street. »Du bist kreidebleich. Macht das dein Lebenswandel?«

Es hat keinen Zweck, Gerald, sagte eine Geisterstimme. *Ich hab' dich einfach in der Hand.*

»Ich möchte wetten, daß du eine Stärkung in *The Bull* vertragen kannst, bevor du dich in den Berufsverkehr stürzt«, fuhr mein Freund fort. »Komm, ich lade dich ein.«

Ich sah mich um. In unserer Nähe stand sonst niemand. Deshalb nahm ich die Zeitung unter den Arm und folgte meinem Freund zu *The Bull.*

Nachwuchsganoven

von
J. J. Marric (John Creasey)

»Das Schlimme ist nämlich, Mr. Gideon, daß ich mir schreckliche Sorgen um den Jungen mache, weil ich fürchte, daß er auf die schiefe Bahn gerät – und das tut er bestimmt, wenn er sich weiter mit seinen jetzigen Freunden herumtreibt. Außer Ihnen kenne ich niemand, der ihm helfen könnte. Versuchen Sie's wenigstens, Sir?«

George Gideon, Chef der Kriminalpolizei im New Scotland Yard, betrachtete die Frau, die das sagte, über seinen Schreibtisch hinweg. Sie war Anfang Vierzig, attraktiv und im Augenblick sehr besorgt. Ihre abgearbeiteten Finger spielten nervös mit den Handschuhen auf ihrem Schoß.

»Ja, ich sehe zu, was sich machen läßt, Mrs. Blake«, antwortete Gideon, und als er ihren hoffnungsvollen Gesichtsausdruck sah, erschrak er fast vor der Verpflichtung, die er damit eingegangen war. Als er ja sagte, dachte er besorgt: Aber wie? Er wußte nicht, ob es eine Möglichkeit gab; sein Mitgefühl hatte ihn zu einem Versprechen verleitet, das er unter Umständen nicht würde halten können. Nur wenige hätten solche Empfindsamkeit in diesem großen kräftigen Mann mit dem energischen Gesicht, der zerfurchten Stirn unter eisgrauem Haar und dem Willenskraft verratenden Mund und Kinn erwartet.

Die neue Hoffnung, die durch Gideons Versprechen geweckt worden war, machte das Gesicht der Frau schön.

»O, Gott segne Sie!« rief sie impulsiv aus. »Gott segne Sie! Ich hab' gewußt, daß Sie mich nicht im Stich lassen würden. Mein Mann hat immer gesagt, ich sollte mich an George Gideon wenden, falls ich Schwierigkeiten hätte und wirklich nicht mehr weiterwüßte.« Sie mußte sich zu einem Lächeln zwingen, als sie fortfuhr: »Als ob er nicht selbst tief genug in der Patsche gesessen hätte, Mr. Gideon – mit zehn Jahren Gefängnis vor sich und dieser heimtückischen Krankheit im Körper, die ihn allmählich ausgezehrt hat, obwohl er bis zuletzt nichts davon gewußt hat.«

»Ja, das war schlimm«, bestätigte Gideon barsch. Und diesmal überlegte er sich, daß es für sie besser war, daß ihr Mann im Gefängnis gestorben war.

Naomi Blake hatte an der Seite ihres haltlosen Mannes, der sein Leben lang kleine Diebstähle begangen hatte, mehr als genug gelitten. Als er schließlich hinter Gitter geraten war, hatte sie ihren Sohn Lance ohne fremde Hilfe großgezogen. Und nun schien der Junge in Gefahr zu sein, auf die gleiche schiefe Bahn wie sein Vater zu geraten.

»Ich muß aber alles wissen«, fuhr Gideon warnend fort.

»Ich erzähle Ihnen alles, darauf können Sie sich verlassen! Ich habe nichts vor Ihnen zu verbergen.«

Aber wieviel hat ihr Sohn ihr verschwiegen? fragte Gideon sich. Wahrscheinlich hat er ihr von allem nur die Hälfte erzählt. Gideon machte sich Notizen, während die Mutter des Jungen berichtete: von Lances langen Nächten, von der wilden Teenagergruppe, zu der er gehörte, von der Bowlingbahn, den Wetten und dem Bier. Das Ganze schien auf eine klare Entwicklung nach bewährtem Muster hinzudeuten, und Mrs. Blake hatte recht – als nächstes würde der Junge vermutlich eine Straftat begehen, in die Besserungsanstalt kommen und daraus als Mann entlassen werden, der die Gesellschaft für immer haßte.

»Für ihn gibt's nicht viel Hoffnung, nicht wahr, Mr. Gideon?« fragte Mrs. Blake mit Tränen in den Augen. »Ich kenne viele Familien, die Schwierigkeiten mit ihren Söhnen haben – und dort hat's immer wie bei Lance angefangen.«

Gideon stand auf. Er wirkte massiv, fast drohend.

»Sie geraten nur auf die schiefe Bahn, wenn sie schlechte Anlagen haben, Mrs. Blake. Ich kann Ihnen helfen, sich in Lances Fall Gewißheit zu verschaffen.« So war sie wenigstens aufs Schlimmste vorbereitet. »Haben Sie ein gutes Foto von ihm mitgebracht?«

»O ja, das hätte ich fast vergessen!« Sie nahm das Foto aus einem Umschlag in ihrer Handtasche und gab es Gideon. Er sah ein schmales männliches Gesicht mit klaren Zügen, Mrs. Blakes Augen und einem arroganten Lächeln um die Lippen.

»Der Junge sieht nett aus«, meinte er.

»Ich weiß nicht, wem er sein gutes Aussehen verdankt — bestimmt nicht seinem Vater oder mir«, sagte Naomi Blake mit gekünstelter Heiterkeit.

Gideon klingelte nach einem Beamten, der sie zum Ausgang bringen sollte, und sie verabschiedete sich dankbar. Er hatte den Eindruck, sie sei davon überzeugt, alles in ihrer Macht Stehende getan zu haben, so daß der Rest Gott, dem Schicksal und Gideon überlassen blieb. Er fuhr zusammen.

Als sie gegangen war, rief er Superintendent Tenby von der N.E.-Division an, wo die Blakes wohnten, und bat ihn, den Jungen überwachen zu lassen. Er gab keinen Grund dafür an; wenn Gideon etwas wollte, fragte niemand nach Gründen.

Dann befaßte er sich wieder mit dringenderen Problemen. Aber es dauerte lange, bis er die Erinnerung an die freundliche Mrs. Blake und ihren gutaussehenden Sohn verdrängen konnte.

Lance Blake unterschied sich so auffällig von den anderen jungen Leuten an der Theke der High Spot Bowling Alley, wie sein Name von den Bills, Berts, Bobs und Jacks abstach. Er war nicht sonderlich groß, aber seine schlanke Gestalt besaß eine eigenartige Ausstrahlung. Die jungen Männer standen in einer Gruppe zusammen, und der Lärm auf den Bowlingbahnen verhinderte, daß die übrigen Gäste hörten, was sie besprachen. Ihr Anführer war Bill Carson, ein unrasierter Muskelprotz mit langen strähnigen Haaren.

»Wenn ihr euch an meine Anweisungen haltet, kann nichts schiefgehen«, sagte er eben. »Die Sache bringt jedem von uns fünfhundert Piepen ein.« Er starrte sie nacheinander an, als wolle er jeden Widerspruch im Keim ersticken. »Ich weiß auch schon einen Mann, der uns das Zeug abnimmt.«

»Wer?« fragte Lance Blake.

»Je weniger du weißt, desto besser, Freundchen. Du willst doch die fünfhundert, stimmt's?«

»Allerdings!« bestätigte Lance nachdrücklich.

Auch die anderen stimmten eifrig zu.

»Gut, dann sind wir uns also einig«, sagte Bill. »Morgen um halb zwölf in der Kirk Street. Jack, du kümmerst dich mit Bert um einen Wagen. Tom, du hast das Motorrad zur Ablenkung. Bob, du und ich knacken den Safe. Lance, du kletterst als erster rein und machst uns auf.«

»In Ordnung«, antworteten die anderen.

Die nächste Nacht war sternenklar, aber zum Glück mondlos; regnerisches Wetter wäre ihnen allerdings lieber gewesen. Sie bewegten sich von zwei Seiten aus gleichzeitig auf ihr Ziel zu, und Carson hatte das Dynamit in der Tasche. Ihr Ziel war ein kleines Postamt in einer der engen Straßen Chelseas.

Im Hintergrund waren gelegentlich Autos — für das Londoner West End war es noch früh — und das Tuckern von Schleppern auf der Themse zu hören. Lance Blake und Bill Carson schlichen zu einem Fenster an der Rückseite des Postgebäudes, das aufgebrochen werden sollte. Fluchtauto und Motorrad warteten an strategisch günstigen Punkten.

Lance hielt sich am Fensterrahmen fest und wollte eben hineinklettern, als eine Autohupe ihn und Bill alarmierte. Motoren heulten auf, Stimmen wurden laut, eine Trillerpfeife ertönte.

Carson machte kehrt und flüchtete. Lance sprang zu Boden. Aber bevor er sich aufraffen konnte, standen zwei Polizisten über ihm.

Gideon wurde in seinem Haus in Fulham telefonisch über die Ereignisse in der Kirk Street informiert, verabschiedete sich resigniert von seiner Frau und fuhr ins Büro. Dort erwarteten ihn bereits Superintendent Tenby von der N.E.-Division — ein rundlicher, jovialer Mann, der Gideon an einen erfolgreichen Farmer erinnerte – und Chefinspektor Forbes aus Chelsea, ein hagerer, professorenhafter Mittfünfziger.

»Was ist also in Chelsea passiert?« wollte Gideon wissen.

»Die jungen Männer waren zu sechst«, erklärte Forbes ihm. »Tenby hat einen Mann abgestellt, um Blake überwachen zu lassen, und er hat bald gemerkt, wohin der Hase lief. Die Sache war in ein paar Minuten vorbei. Der einzige Sachschaden ist ein eingedrücktes Fenster.«

»Jemand verletzt?« fragte Gideon.

»Nur ein paar Hautabschürfungen.«

Gideon wandte sich an Superintendent Tenby. »Was wissen Sie über die Bande?«

»Der Anführer ist ein gewisser Carson, der bereits in Borstal war«, sagte Tenby. »Die anderen sind jugendliche Dummköpfe, die auf leichte Weise zu Geld kommen wollten.«

»Gilt das auch für Lance Blake?« erkundigte Gideon sich.

»Ja, in gewisser Beziehung«, antwortete Tenby. »Aber er paßt eigentlich doch nicht recht zu den anderen. Wir haben ihn fünf Tage lang überwacht. Er trifft sich nachmittags und nachts mit der Bande – aber niemals abends.«

»Und?«

»Er verbringt seine Abende mit einem Mädchen aus Hampstead«, fuhr Tenby fort. »Die Kleine ist Verkäuferin und verdient recht gut. Sie heißt Dale – Betty Dale. Blake geht seit drei, vier Monaten mit ihr aus.«

»Gibt er viel Geld für sie aus?« fragte Gideon.

»Nicht übermäßig viel.« Tenby machte eine Pause. »Miß Dale trägt einen brandneuen Verlobungsring. Wissen Sie, worauf das meiner Meinung nach hindeutet?«

»Ich weiß, was Sie meinen«, stimmte Gideon zu, »aber wir müssen feststellen, was es *wirklich* ist. Am besten rede ich morgen früh selbst mit ihr.«

Keiner der beiden Männer fragte, warum Gideon sich so für diesen Fall interessierte.

Am nächsten Morgen klingelte Gideon um acht Uhr an einer

Wohnungstür in einem alten Haus in Hampstead. Eine attraktive Brünette öffnete die Tür. Sie erschrak, als Gideon ihr zuerst seinen Dienstausweis und dann Lance Blakes Foto zeigte.

»Kommen Sie bitte herein.« Sie führte ihn in ein hübsch eingerichtetes Wohnzimmer. »Ich muß bald zur Arbeit, aber ... Was ist passiert? Was hat Lance angestellt?«

»Beantworten Sie mir zunächst ein paar Fragen?« bat Gideon »Wie lange kennen Sie ihn schon?«

»Ungefähr ein Dreivierteljahr.«

»Kennen Sie seine Eltern?«

»Sein Vater ist tot – er war Bankdirektor. Seine Mutter lebt auf dem Land.«

»Aha«, meinte Gideon. »Sie sind mit ihm verlobt?«

»Ja. Wir wollen nächsten Monat heiraten. Wir ... wir haben ein hübsches Haus gesehen, das ...« Sie machte eine Pause. »Aber was ist passiert? Was hat er angestellt? Das muß ich wissen!«

»Nur noch eine Frage, Miß Dale. Wer soll das Haus bezahlen?«

»Wir kaufen es gemeinsam. Wir müssen fünfhundert Pfund anzahlen, und die Hypothek läuft dann fünfzehn Jahre.«

»Haben Sie fünfhundert Pfund?« fragte Gideon langsam.

»Ich habe zweihundert. Lance hat den Rest.«

Gideon machte eine nachdenkliche Pause. »Er hat ihn nicht, Miß Dale – aber er hat sich verzweifelt bemüht, das Geld aufzutreiben. Er liebt Sie so sehr, daß er's nicht über sich gebracht hat, Ihnen die Wahrheit zu sagen. Setzen Sie sich, meine Liebe, auch wenn Sie dann zu spät zur Arbeit kommen.«

Er schilderte ihr das Milieu, aus dem Lance stammte, und fügte hinzu: »Er muß geglaubt haben, Sie nur beeindrucken zu können, indem er sich als etwas ausgab, das er gar nicht war. Er ist noch nie mit dem Gesetz in Konflikt gekommen und wird heute vormittag vermutlich auf Bewährung entlassen. Was haben Sie jetzt vor, Miß Dale?«

»Ich muß zu ihm«, antwortete sie sofort. »Ich darf ihn jetzt nicht im Stich lassen!«

». . . und die Hochzeit findet wie geplant statt. Sie ziehen zunächst in eine kleine Wohnung in der Finchley Road und wollen beide arbeiten. Ich habe Lance noch nie so glücklich erlebt. So könnte er doch nicht sein, wenn er wirklich schlechte Anlagen hätte, nicht war, Mr. Gideon? Ich weiß, daß er viel Pech gehabt hat und . . .«

»Pech?« unterbrach Gideon sie. »Mit Ihnen als Mutter und Betty als Frau hat er mehr Glück, als ihm eigentlich zusteht. Er hat keine schlechten Anlagen, das stimmt — er hat die Dinge nur falsch gesehen. Er wollte Betty um jeden Preis und wußte keine andere Möglichkeit, sie für sich zu gewinnen. Wenn er mein Sohn wäre, Mrs. Blake, würde ich mir keine Sorgen mehr um ihn machen.«

»Aber wenn ich nicht zu Ihnen gekommen wäre, *würde* ich mir welche machen«, sagte Naomi Blake.

Gideon widersprach nicht.